MULHERES OUSADAS CHEGAM MAIS LONGE

Lois P. Frankel, Ph.D.

MULHERES OUSADAS
CHEGAM MAIS LONGE

101 erros inconscientes
que atrapalham a sua carreira

Tradução:
Maria Alayde Carvalho

Editora Gente

Editora
Rosely M. Boschini

Coordenação editorial
Elvira Gago

Projeto gráfico
Marcelo Almeida

Capa
Futura Propaganda

Editoração eletrônica
Eliana Moreira

Título original: Nice girls don't get the corner office

Edição publicada mediante contrato com Warner Books, Inc., Nova York, NY, EUA.

Rua Pedro Soares de Almeida, 114
São Paulo, SP CEP 05029-030, telefone: (11) 3670-2500
Site: http://www.editoragente.com.br
E-mail: gente@editoragente.com.br

Dados Internacionais de Catalogação na Publicação (CIP)
(Câmara Brasileira do Livro, SP, Brasil)

Frankel, Lois P., 1953 - .
Mulheres ousadas chegam mais longe: 101 erros inconscientes que atrapalham a sua carreira / Lois P. Frankel ; tradução Maria Alayde Carvalho. — São Paulo : Editora Gente, 2005.

Título original: Nice girls don't get the corner office
Bibliografia.
ISBN 85-7312-446-6

1. Atitude (Psicologia) 2. Auto-realização (Psicologia) 3. Carreira profissional - Desenvolvimento 4. Motivo de realização nas mulheres 5. Mulheres - Psicologia 6. Sucesso - Aspectos psicológicos I. Título.

05-0346 CDD-158.1082

Índices para catálogo sistemático:
1. Mulheres : Carreira profissional : Sucesso : Psicologia aplicada 158.1082

Dedico este livro a
Harriet Tubman,
Eleanor Roosevelt,
Babe Didrikson,
Wilma Mankiller,
Rosa Parks,
Golda Meir*
e a todas as outras que, diante da
inexistência de caminhos, os criaram e
tornaram mais fácil a jornada de todas
nós, que viemos depois.

---

* Harriet Tubman (1820-1913), escrava nascida nos EUA, líder de movimentos abolicionistas; Eleanor Roosevelt (1884-1962), primeira-dama norte-americana de 1933 a 1945, uma das mulheres mais influentes de seu tempo; Babe Didrikson (1913-56), medalhista olímpica norte-americana, considerada a atleta do século em 1950; Wilma Mankiller (1945), primeira mulher a liderar uma nação indígena norte-americana, os cherokees; Rosa Parks (1913) desafiou, em 1955, a lei de segregação racial ao se recusar a dar seu lugar a um branco num ônibus do Alabama (EUA); Golda Meir (1898-1978), uma das fundadoras do Estado de Israel, foi sua primeira-ministra de 1969 a 1974. (N.E.)

Agradecimentos

Escrever um livro é como dar um presente. Passei muito tempo escolhendo as palavras certas, depois eu as envolvi numa embalagem agradável e finalmente espero que você aprecie a leitura dessas palavras tanto quanto gostei de escrevê-las. Mas só fui capaz de escrever este livro graças a outros presentes que recebi de muitas pessoas – e quero agradecer a elas e também apresentá-las a você, começando por aquelas que enriqueceram minha vida ao longo do tempo.

Aos muitos amigos que tenho, a minha família e a meus colaboradores e associados do mundo inteiro, que acreditaram em mim e me incentivaram, trocando idéias comigo e tolerando os longos períodos de silêncio pelos quais passei – muito obrigada!

Todos os componentes da equipe da Corporate Coaching International marcam presença neste livro, quer pelo apoio, quer pela contribuição que prestaram. Agradeço a cada um de vocês, em especial à doutora Pam Erhardt, ao doutor Bruce Heller, a Tom Henschel e a Susan Picascia, por partilhar tão generosamente comigo seu tempo e sua sabedoria. Vocês não são apenas colegas, mas também amigos queridos.

Doutora Kim Finger, Tatum Barnett e Majella Lue Sue – obrigada não só por toda a ajuda que suas idéias trouxeram como também, principalmente, pelo tempo que me proporcionaram para que eu pudesse escrever. Vocês tocaram com perfeição a empresa durante minhas ausências, e eu lhes agradeço por isso.

Aos muitos amigos e clientes da Corporate Coaching International – obrigada pela contribuição que prestaram revelando-me casos e exemplos de erros cometidos pelas mulheres que acabaram por impedi-las de atingir seus objetivos, afastando-as do sucesso.

Bob Silverstein – finalmente um agente literário em quem posso confiar! Obrigada por me representar e me orientar com tanto zelo e por me oferecer o privilégio de sua amizade. Espero que venhamos a fazer juntos outros belos livros.

A Diana Baroni e toda a equipe da editora Warner Books – obrigada pela oportunidade de escrever este livro. Pretendo cumprir a promessa de prosseguir nessa estrada e compartilhar todos os presentes recebidos.

Sumário

Prefácio

Nada muda se você não mudar

As empresas modernas valorizam cada vez mais o espírito cooperativo, a flexibilidade, a percepção das necessidades dos outros, a capacidade de agregar pessoas e o uso da intuição. Essas características, segundo alguns especialistas em comportamento, são mais afloradas nas mulheres, parte do "jeito feminino de ser". Teoricamente, elas deveriam favorecer a ascensão feminina no trabalho, pois exercitamos mais naturalmente aquilo que a maioria dos homens está tendo de desenvolver para se adequar à nova realidade do mundo corporativo.

Apesar disso, o que se vê na prática é que poucas de nós ocupam cargos de direção nas empresas e nossos salários são menores que os dos homens, ainda que nossas qualificações e experiência sejam equiparáveis às deles. E por que isso acontece? Por favor, não vá me dizer que é tudo culpa do "preconceito machista". Embora ele exista (infelizmente), em especial num país latino como o nosso, não pode ser apontado como o único responsável pelo fato de termos menos sucesso que os homens no mundo dos negócios. A raiz do problema não está na sociedade, mas em nós mesmas.

São também típicos da mulher certos comportamentos que atrapalham muito sua ascensão na carreira, dando a impressão de que ela é boazinha demais – e garotas boazinhas, como diz o título original deste livro, não chegam lá. Alguns deles têm a ver com a natureza feminina e com sua função de nutrir e proteger a vida, outros são aprendidos socialmente – e entre estes há alguns que não mudam há séculos, apesar de a sociedade ter se transformado tão profundamente. Por causa dessa herança "cromossômica" e cultural, a mulher assume responsabilidades demais – e não só as suas, mas também as dos outros. Com freqüência, prioriza as necessidades alheias e depois pensa (quando pensa) nas suas. Fica cheia de dedos para falar ou fazer coisas que possam ferir os sentimentos dos outros. Tem dificuldade de assumir riscos. Tende a ser modesta demais, solícita demais, desprendida demais quando o assunto é ganhar dinheiro...

Bem, a autora deste livro relacionou nada menos do que 101 comportamentos que dificultam o acesso das mulheres aos postos de direção das empresas. O que me chama a atenção no trabalho de Lois P. Frankel é o modo como ela faz as leitoras tomarem consciência tanto de suas atitudes como da cultura da empresa em que trabalham, de modo que aprendam a se adequar a qualquer tipo de ambiente. Outro ponto muito positivo da obra é que ela não impõe regras comportamentais, mas permite que as leitoras apliquem aquilo que tem a ver com sua personalidade

Independentemente de quantos aspectos você identificar e tiver de trabalhar, o importante é ter em mente que, na essência desse trabalho, está o reconhecimento do seu poder pessoal. Ser poderosa não significa que você tem de abrir mão das características femininas, mas saber quando e em que medida utilizá-las. Ser poderosa é compreender as regras do jogo corporativo e saber se posicionar, é criar condições para o próprio crescimento, é ser assertiva, é exercer uma liderança participativa porém segura, direcionada, motivadora e criadora de fortes vínculos entre as pessoas.

O velho "preconceito machista" não tem chances de sobreviver num mundo de mulheres que conhecem seu valor e se empenham em conquistar seu merecido espaço. Mas nada muda se você não mudar. Experimente e descubra que o sucesso é para todos.

Leila Navarro

Palestrante motivacional especializada em comportamento e desenvolvimento humano, autora do livro Qual é o Seu Lugar no Mundo?, *entre outros, e editora especial da revista* Vida Executiva.

Introdução

Como orientadora de carreira de executivos e especialista em treinamento corporativo, meu sucesso e minha reputação dependem de as pessoas alcançarem seus objetivos como resultado de nosso trabalho conjunto. Conforme disse uma cliente no início de seu processo de *coaching*: "Eu quero mais que uma boa experiência, eu quero uma promoção". Na função de facilitadora de *workshops* nos quais as mulheres aprendem técnicas que as ajudam a atingir seus objetivos, como orientadora pessoal de executivas ou na prática da psicoterapia voltada quase exclusivamente para profissionais mulheres, tenho trabalhado literalmente com milhares delas. Acrescentando minha participação em muitos *workshops* de treinamento de liderança destinados a homens e mulheres, posso dizer que tenho tido a oportunidade de trabalhar com mais alguns milhares de pessoas.

Este livro é baseado em quase 25 anos de experiência como *coach* e instrutora de treinamento, profissional de recursos humanos e psicoterapeuta. Seu tema são os erros cometidos exclusivamente por mulheres no trabalho, que tenho observado, e recomendações que ofereço para ajudá-las a cuidar melhor de sua carreira. Além disso, procuro apontar as formas pelas quais tantas mulheres impedem a si mesmas de desenvolver plenamente seus potenciais.

Os erros descritos em cada capítulo, tanto quanto os exemplos que os acompanham, são reais (embora os nomes das pessoas tenham sido alterados para preservar sua identidade). As recomendações apresentadas no final de cada tópico são *idênticas* às que tenho feito a mulheres do mundo todo. Recebo com freqüência o retorno dessas clientes, felizes por ter conquistado um novo emprego, uma promoção, um aumento, mais respeito de seus colegas e superiores ou a confiança necessária para abrir um negócio próprio. É graças à história do sucesso *delas* que posso obter a medida da eficácia de meu trabalho.

Mas há uma coisa que você deve saber desde o início – este livro não é para todas. Muitas mulheres encontraram maneiras de superar os estereótipos aprendidos na infância e fazer uso de seu poder na maior parte do tempo (é quase impossível fazer uso do próprio poder durante *todo* o tempo). Seja aprimorando um estilo característico de comunicação e comportamento, seja adotando e modificando atitudes rotuladas de "masculinas", você pode ser uma dessas mulheres que estão satisfeitas com o grau de sucesso profissional que alcançaram. Se esse for seu caso, poderá encontrar algumas idéias adicionais neste livro que a ajudarão a desenvolver ainda mais seu estilo, embora eu acredite que já tenha incorporado muitas delas ao seu bem-sucedido repertório. Então digo apenas: "Vá em frente!"

Como saber se este livro vai ajudar *você*? É simples: basta ler a lista de dez características apresentadas abaixo e identificar aquelas que, honestamente falando, estão de acordo com seu estilo:

- A maioria das pessoas me descreve como profissional.
- Tenho a reputação de ser confiável.
- Sou conhecida por minha personalidade firme e positiva.
- Já me disseram que sou competente.
- Quando falo, os outros têm a impressão de que sou inteligente.
- Sinto-me bem por ser direta e objetiva.
- Minha maneira de falar faz com que os outros me considerem uma pessoa que tem boa dicção e idéias claras.
- Eu diria que, nos assuntos relativos ao ambiente de trabalho, sou politicamente astuta.
- Minha maior qualidade é a autoconfiança.
- Minhas ações me demonstram que sei fazer marketing pessoal.

Se todas essas características se aplicam a você, está na hora de escrever *seu* livro. Por outro lado, se marcou entre zero e sete, este livro foi feito para você. Essas características não são essenciais apenas ao sucesso (de mulheres *e* homens) como também, conforme tenho observado, são os aspectos que as mulheres mais procuram desenvolver nos treinamentos. A grande maioria das clientes que oriento não necessita trabalhar as dez características, e sim apenas identificar duas ou três que de fato precisam ser desenvolvidas se elas quiserem atingir seus objetivos de carreira.

Enquanto escrevia este livro, tive a oportunidade de discutir alguns conceitos com uma cliente que eu vinha orientando havia seis meses. Ela comentou com simplicidade: "Por que não escreve exatamente o que me diz? *Deixe de ser uma menina!*" Não pude evitar um sorriso. Minhas palavras voltavam para mim. Ela estava certa, no entanto. Foram precisamente essas as palavras que eu disse a mulheres de todas as idades, em todos os estágios de carreira, durante mais de duas décadas. Eu disse essas palavras a minhas clientes da psicoterapia e tornei a dizê-las ainda com mais freqüência quando iniciei meu trabalho de treinamento executivo. Afinal de contas, *garotas* boazinhas não fazem sucesso.

Do consultório de terapia às salas de conferência, há quase 25 anos tenho ouvido histórias contadas por mulheres que foram preteridas diante de uma oportunidade de promoção e ignoradas ao expressar suas idéias. Observei mulheres em centenas de reuniões. O traço comum entre aquelas que foram ignoradas era sua maneira de agir e reagir diante das situações. Eu quase podia ver e ouvir a forma como inconscientemente minavam a própria credibilidade e sabotavam a carreira. Ninguém mais faria isso com tanta perfeição.

Saber que as mulheres adotam comportamentos auto-sabotadores não era o bastante – eu queria entender *por quê*. Por que mulheres tão inteligentes e capazes agem de forma tão prejudicial a sua carreira (para não dizer a sua saúde mental)? Durante tantos anos de trabalho com milhares de homens e mulheres profissionais, sempre comparando seu comportamento, encontrei a resposta a essa pergunta depois de muita pesquisa e observação. *As meninas aprendem, desde a mais tenra infância, que seu bem-estar e seu sucesso dependem fundamentalmente de algumas atitudes estereotipadas, tais como ser bem-educadas, submissas, cordatas e suaves até na maneira de falar.* Tudo isso é reforçado, ao longo da vida, pela mídia, pela família e por mensagens sociais. As mulheres, portanto, não sabotam *conscientemente* a carreira, elas apenas agem de forma coerente com aquilo que sempre aprenderam.

As tentativas de contrariar esse papel social são consideradas ridículas e tratadas com censura e escárnio. Seja por meio de mensagens recebidas da mãe – "Os rapazes não gostam das garotas que falam alto demais" –, seja pela reação do marido a uma palavra mais irritada – "O que há com você, está naqueles dias do mês?" –, as mulheres são continuamente bombardeadas por reforços negativos quando tomam qualquer atitude contrária àquilo que lhes foi ensinado na infância. Em conseqüência, aprendem que a postura de "garotas boazinhas" é menos dolorosa (e muito mais aceitável para os rapazes e para os homens adultos) do que assumir comportamentos apropriados a uma mulher adulta. Assim, continuam a agir como garotinhas mesmo depois de bem crescidas. Quando eu disse àquela cliente, portanto, para "deixar de ser uma menina", a mensagem implícita era: "Você não precisa agir da forma que lhe ensinaram. Você tem escolhas. Cresça e assuma seu papel de líder".

Mas isso quer dizer que já não existe preconceito contra as mulheres no ambiente de trabalho? De modo algum. Elas ainda ganham cerca de 72% do salário de seus colegas do sexo masculino, precisam trabalhar duas vezes mais para provar que têm a metade da competência deles e são preteridas com muito maior freqüência nas oportunidades de promoção a níveis hierárquicos mais altos nas organizações. As pesquisas demonstram que, nas médias de avaliação de desempenho, as mulheres são sistematicamente menos favorecidas que os homens. E uma reportagem da revista *Fortune* revelou que apenas onze dentre as 1000 maiores empresas norte-americanas são lideradas por mulheres. Essa é a realidade. Mesmo após todos esses anos de luta, ainda pergunto: "E daí?" Podemos racionalizar, justificar e lamentar esses fatos ou podemos compreender que essa é a realidade na qual precisamos trabalhar. Racionalizações, justificativas e lamentos não nos levarão aonde queremos chegar. São apenas desculpas para permanecer onde estamos.

Fiz um curso de formação em clínica existencial na Universidade da Califórnia do Sul. Essa expressão, que pode parecer estranha, significa na verdade uma das tarefas do terapeuta: esclarecer o cliente com relação a toda uma série de escolhas disponíveis para ele. Diante de qualquer desafio que a vida nos propõe, resta-nos sempre o dilema de escolher a reação que teremos. É aí que reside nosso controle. Ele não está nos desafios conhecidos e já vencidos. Ele tampouco está na tentativa de mudar as outras pessoas, pois isso é ilusão. Mas ele está, sim, nas atitudes que tomamos em resposta à nossa situação. Assim, quando se trata de enfrentar o ambiente de trabalho na condição de mulheres que somos, podemos escolher um comportamento condizente com aquilo que se quer e se espera de nós ou a ousadia de buscar outro caminho – o do poder pessoal.

Sei perfeitamente que há quem diga que a expressão *poder pessoal* está fora de moda e ultrapassada. Discordo disso com veemência. As pessoas que pensam assim são justamente aquelas que detêm o maior poder, e é muito simples para elas dizer isso! Na verdade, não desejam que ninguém mais desfrute esse poder do qual estão investidas no campo profissional e social. É um caso clássico de manutenção do *status quo*. Quem tem o poder não deseja compartilhá-lo, portanto trata de minimizar a necessidade de que outros o alcancem. Sem nenhum embaraço nem justificativa, eu afirmo: *este livro fala de poder pessoal.*

Ao contrário de muitos outros, este livro não se limita a ajudar você a identificar e desenvolver seus potenciais nem a apontar fatores críticos de sucesso. A tomada de consciência e o autoconhecimento são apenas o primeiro passo. Mas você também precisa de recomendações concretas de mudança de comportamento *comprovadamente* eficazes para fazer sua carreira progredir. Atitudes apropriadas na infância e na adolescência, porém não mais na idade adulta, talvez estejam contribuindo para atrasar, estagnar e até mesmo destruir sua carreira, desviando-a definitivamente do caminho do êxito. O sucesso será a conseqüência não de um comportamento ao estilo masculino, como alguns podem fazer você crer, e sim de atitudes que revelem uma mulher adulta em vez de uma garota. Mesmo que você escolha apenas 10% das mais de 300 recomendações contidas neste livro para acrescentar a suas habilidades, a leitura já terá valido a pena.

Como conseguir o máximo deste livro

Apresento, ao longo de oito capítulos, 101 erros típicos cometidos pelas mulheres no ambiente de trabalho em decorrência de seu papel social. É evidente que a esmagadora maioria delas não incorre em todos os erros, mas com certeza todas cometem pelo menos alguns. A experiência me ensinou: quanto maior for o número de erros cometidos pela pessoa, menos chances ela terá de desenvolver seu pleno potencial na profissão. Sugiro que você comece pelo exercício de auto-avaliação apresentado no capítulo 1. Ele vai ajudá-la a identificar os comportamentos errôneos mais comuns.

Depois de completar o exercício, você poderá passar diretamente aos comportamentos que identificou e são mais freqüentes no dia-a-dia. Após os comentários sobre cada erro, há sugestões para corrigi-lo. Conforme já mencionei, são as mesmas orientações que dou a minhas clientes, portanto sei que trazem bom resultado. No entanto, assim como ocorre com as dietas, só serão eficazes se você as aplicar plenamente.

Na faixa "NOVA CONDUTA", existente no rodapé de cada página de recomendações, anote as que pretende adotar para corrigir os comportamentos que você deseja. Quando terminar de ler o livro, transcreva essas anotações e complete o gráfico do plano de desenvolvimento pessoal apresentado na Conclusão. Não complique essa tarefa além do necessário: escolha apenas um comportamento por semana e concentre-se nisso. Você descobrirá que o próprio fato de se concentrar em determinado erro a tornará muito mais consciente dele e, portanto, capaz de evitá-lo no futuro. O passo seguinte será substituir o comportamento equivocado por uma atitude mais conveniente e eficaz. Você *pode* fazer isso. A escolha é *sua*. Basta agir como a mulher que você se tornará, e não como a garota que aprendeu a ser até agora.

capítulo 1
O primeiro passo

Eis a primeira dica: *não comece a ler este livro antes de aprender a tirar as melhores vantagens dele.* Do contrário, você corre o risco de pensar que todos os erros apontados se aplicam ao seu caso, quando, na verdade, é muito provável que apenas se subestime. Você sabe como nós, as mulheres, somos – mais autocríticas que o necessário, muitas vezes relutamos em aceitar os méritos a que fazemos jus. Quando oriento mulheres, costumo dizer a elas que mudar um comportamento será muito mais fácil se puderem compreender a origem e o propósito dele. Todo comportamento tem um propósito. Reflita por alguns momentos para entender os propósitos dos *seus.*

Desde o início quero que saiba e, mais importante ainda, que acredite nisto: *os erros que a impedem de realizar seus objetivos ou de desenvolver seus potenciais como profissional não ocorrem porque você é ignorante nem incompetente* (embora alguns desejem fazê-la pensar assim). Você simplesmente age de forma coerente com o papel social que lhe foi imposto. Quando chegamos à idade adulta, nunca nos *dizem* que agir de maneira diferente é uma opção nossa – e assim não mudamos. Por falta de incentivo ou de informação, ou por ambas as causas, deixamos de desenvolver comportamentos adequados a uma mulher adulta.

Em minha experiência de *coach* tanto de homens quanto de mulheres em empresas internacionais de todos os portes, tive a oportunidade de compreender por que algumas pessoas progridem naturalmente na carreira, enquanto outras permanecem estagnadas e nunca desenvolvem plenamente seu potencial. Embora existam inúmeros erros comuns a homens e mulheres, há uma série específica de enganos que elas predominantemente cometem. Seja qual for o país em que eu esteja, sempre me surpreendo com os mesmos erros cometidos no trabalho por mulheres de todas as culturas. Podem surgir algumas diferenças entre o Oriente e o Ocidente, por exemplo, mas se trata apenas de variações do mesmo tema. E sei que são erros porque, uma vez corrigidos, a carreira de minhas clientes toma novo rumo e ganha um impulso que elas jamais esperavam fosse possível.

Por que, entretanto, as mulheres *permanecem* no papel de garotas quando isso há muito tempo deixou de ser benéfico para elas? Uma das razões é o fato de que nos ensinaram que agir como garotas – mesmo depois de adultas – não é tão mau assim. As garotas recebem cuidados e atenções que os rapazes não têm. Ninguém espera que elas se sustentem nem cuidem de si próprias, pois outras pessoas farão isso em seu lugar. Doçura, charme e beleza: é disso que as garotas são feitas. E quem não quer esse "privilégio"?

As virtudes das garotas são cantadas em música e verso – "I enjoy being a girl" [Adoro ser uma garota], "Thank Heaven for little girls" [Graças a Deus as meninas existem], "My girl" [Minha garota] e "Garota de Ipanema" são apenas alguns exemplos. Qual de nós *não* gostaria de ser uma garota? Todos adoram as garotas, os homens querem protegê-las. "Burrinhas" ou meigas, altas ou bronzeadas, não exigem muito. É bom estar com elas, é bom tê-las por perto – quase como bichinhos de estimação.

Ser uma garota é sem dúvida mais fácil que ser uma mulher. As garotas não precisam assumir a responsabilidade pelo próprio destino. Suas escolhas são limitadas a uma faixa estreita de expectativas. Aqui está outra razão para continuarmos a cultivar modos juvenis mesmo tendo alguma noção de quanto isso nos tolhe e prejudica: não podemos ver além das fronteiras tradicionais que cercam os parâmetros de nossa influência. É perigoso ultrapassar essas fronteiras. Quando fazemos isso, somos acusadas de agir como os homens ou de tomar atitudes duvidosas e "livres demais". Dessa forma, fica mais fácil adotar comportamentos socialmente aceitáveis.

Mas há apenas um problema: quando nossas ações estão circunscritas às expectativas dos outros, a vida se torna muito limitada. O que significa realmente viver uma vida de garota em vez de uma vida de mulher? Significa que adotamos comportamentos coerentes com o que se espera de nós, e não aqueles que nos levariam através do caminho da realização e do amadurecimento. Deixamos de viver de acordo com nossa consciência e passamos a viver de reações. Assim, embora alcancemos a maturidade física, jamais chegaremos à maturidade emocional. Essa postura talvez nos alivie momentaneamente dos problemas e dos dilemas da vida real, mas nunca nos permitirá o pleno controle de nosso destino.

Conforme disse na introdução deste livro, meu trabalho como observadora, orientadora e facilitadora de *workshops* dirigidos a profissionais do sexo feminino me deu a oportunidade de constatar até que ponto os comportamentos juvenis prejudicavam e impediam minhas clientes de desenvolver uma carreira bem-sucedida. Elas perderam várias chances de promoção porque relutavam em demonstrar sua capacidade, se recusavam a falar em reuniões e trabalhavam tanto que chegavam a esquecer-se de cultivar a rede de relacionamentos necessária ao sucesso de longo prazo. Esses comportamentos ficam mais evidentes ainda nos *workshops* dos quais homens e mulheres participam. Meu trabalho nas corporações é facilitar tanto *workshops* dirigidos exclusivamente para mulheres quanto vários programas de desenvolvimento de liderança para grupos mistos, muitas vezes na mesma empresa. Isso me permite observar uma regra quase geral: mesmo as participantes mais ativas e comunicativas durante os *workshops* para mulheres se mostram mais passivas, submissas e reticentes quando falam em grupos mistos.

O caso de Susan

Vou contar agora a história de uma cliente que queria saber por que jamais tinha conseguido desenvolver todo o seu potencial. Susan era gerente de aquisições de uma importante companhia de petróleo. Trabalhava na empresa havia mais de doze anos quando me procurou para falar de uma frustração: sua carreira parecia lenta, quase estagnada, em comparação com o progresso dos colegas do sexo masculino contratados na mesma época. Embora atribuísse o fato à discriminação sexual existente na empresa, Susan nunca pensou na possibilidade de que suas atitudes pudessem contribuir para isso. Antes de atendê-la numa sessão individual, tive a oportunidade de observá-la durante algumas reuniões com seus colegas.

Desde o primeiro encontro ela chamou minha atenção por sua figura delicada e atraente, com longos cabelos louros e olhos de um azul profundo. Natural do Texas, ela falava com leve sotaque sulista e tinha um jeito sedutor de erguer a cabeça e sorrir enquanto ouvia as outras pessoas. Era agradável tê-la por perto, mas apesar de tudo isso ela me lembrava as colegiais que fazem parte da torcida organizada dos times escolares – bonita, vivaz, cordial e solidária. Sempre balançava a cabeça e sorria enquanto os outros falavam. Quando finalmente chegava sua vez de dizer alguma coisa, usava frases vagas e imprecisas, como "talvez devêssemos pensar melhor...", "pode ser que..." ou "que tal se nós...". Graças a esse procedimento, ninguém jamais poderia considerá-la uma pessoa agressiva, mas os superiores também não consideravam suas qualidades de executiva.

Após diversas reuniões em que pude observá-la enquanto lidava com os colegas de trabalho, Susan e eu nos encontramos para examinar suas metas de carreira. Baseada em sua aparência, em sua conduta e naquilo que ouvira dela, presumi que tivesse entre 30 e 35 anos de idade. Fiquei estarrecida quando me confessou ter 47 anos e quase vinte de experiência na área de aquisições. Eu não fazia idéia de tal histórico profissional nem de tão longa experiência – e, se *eu* não tinha noção disso, ninguém mais poderia ter. Sem perceber, Susan se comportava de forma coerente com seu papel social. Recebera tantos reforços positivos a atitudes desse tipo que acreditava ser a única maneira de agir para obter sucesso. Ela havia "comprado" o estereótipo da boa garota.

Para dizer a verdade, as condutas que mostrava nas reuniões de fato contribuíram para o sucesso rápido de sua carreira, mas o problema era que não ajudavam Susan a atingir metas nem aspirações de longo prazo. Todos na empresa reconheciam ser ótimo trabalhar com ela, mas não acreditavam seriamente na sua capacidade de assumir posições ou projetos mais importantes. Assim, agindo como uma garota, Susan era igualmente tratada como tal. Embora soubesse que precisava tomar algumas atitudes diferentes se quisesse progredir na carreira, ela não tinha idéia do que seria necessário fazer.

Soube mais tarde que Susan era a irmã mais nova e a única menina da família. Tornou-se a "princesinha do papai" e sempre foi protegida pelos irmãos. Aprendeu muito cedo a tirar vantagens do fato de ser uma garota, o que achava ótimo. À medida que crescia, ela continuou a fazer uso dos comportamentos tipicamente femininos para conseguir o que desejava. Foi a aluna que todos os professores queriam ter em sua classe, que os colegas adoravam e todos admiravam. Susan não tinha referências de formas de agir alternativas que lhe permitissem realizar seu sonho de ser promovida a uma posição de alta hierarquia na empresa.

Há uma garota no coração de todas nós

Embora Susan seja um exemplo extremo do alto custo do comportamento estereotipado, quase todas nós ainda temos uma parte juvenil em nosso íntimo. Muitas de nossas atitudes são coerentes com o papel social que aprendemos a desempenhar, e por isso é difícil apagar completamente todos os traços da garota que fomos quando nos tornamos mulheres adultas. Na condição de mães, irmãs, filhas e companheiras, estamos mais empenhadas em nutrir e atender as necessidades dos outros do que em assegurar o reconhecimento de *nossas* necessidades. Há ainda outra cilada: quando tentamos romper com nosso papel social e agir de maneira mais madura e atualizada, deparamos quase sempre com uma sutil – e às vezes nem tão sutil assim – resistência, cujo objetivo é nos manter em "nosso lugar". Há comentários que têm a intenção implícita de nos "prender" em nossa posição de garotas. "Você fica uma gracinha quando está zangada", "O que há com você, está histérica?" e "Por que não se contenta com seu lugar?" são alguns exemplos.

Quando alguém questiona nossa feminilidade ou o valor de nossos sentimentos, nossa atitude geralmente é de retraimento, e não de reação. Passamos, nós mesmas, a questionar a veracidade de nossa experiência. Se a questão for lutar ou morrer, nós optamos por fugir. Toda vez que fugimos damos um passo atrás, na direção da garota que fomos, e duvidamos de nosso valor. Dessa forma nos tornamos coniventes com os outros e permanecemos no papel de garotas em vez de assumir nossa posição de mulheres. Por essa razão devemos aceitar a responsabilidade pelo fato de não atendermos nossas necessidades nem realizarmos plenamente nossos potenciais. Eleanor Roosevelt estava certa quando afirmou: "Ninguém poderá fazer você se sentir inferior sem seu consentimento". Chega de submissão. Basta de conivência. *Deixe de ser uma garota!*

Auto-avaliação

Chegou a hora de verificar os problemas que precisam ser trabalhados com prioridade. O gráfico apresentado a seguir a ajudará a identificar os comportamentos que podem prejudicar sua carreira. Você descobrirá aspectos que já superou e não mais representam obstáculos à sua vida profissional. Se você for como a maioria das mulheres, descobrirá também outros aspectos que ainda requerem sua atenção. Faça o exercício com calma. Quando terminar, encontrará algumas diretrizes que a ajudarão a aplicar os resultados obtidos à leitura dos capítulos. Talvez você nem precise ler o livro até o fim, imagine! Será sua primeira lição de como trabalhar bem, e não demais.

GRÁFICO I
Auto-avaliação

De acordo com a escala apresentada abaixo, marque a alternativa que mais se aplica a você. Seja tão honesta quanto possível com relação a sua maneira de agir, pensar ou sentir durante a maior parte do tempo ou diante da maioria das situações.

1 = Raramente
2 = Algumas vezes
3 = Quase sempre

____ 1. Não tenho dificuldade de quebrar regras se isso justificar os resultados.
____ 2. Não me incomoda o fato de alguém não gostar de mim apesar de meus esforços para cultivar um bom relacionamento.
____ 3. Estabeleço metas diárias realistas dentro dos limites razoáveis do que posso cumprir.
____ 4. Posso dizer em trinta segundos ou menos as formas pelas quais agrego valor a minha empresa.
____ 5. Quando digo alguma coisa séria, não sorrio para suavizá-la.
____ 6. Quando tenho opinião formada sobre um assunto, eu a declaro diretamente, em vez de expressá-la como uma pergunta.
____ 7. Identifico negligências e deixo bem claro que não gosto delas.
____ 8. Não aceito culpas nem responsabilidades pelos erros de outras pessoas.
____ 9. Não costumo pedir desculpas por pequenos deslizes.
____10. Quando recebo um prazo pequeno demais para realizar qualquer tarefa, sempre negocio para conseguir outro mais razoável.
____11. Se alguém deixar de notar alguma coisa que fiz excepcionalmente bem, eu mesma chamo sua atenção para o fato.

____12. Quando me sento a uma mesa de reunião, apóio os cotovelos e me inclino levemente.

____13. As pausas de silêncio durante uma conversa não me incomodam.

____14. Acredito ser tão inteligente quanto a pessoa que está ao meu lado.

____15. Defendo minhas convicções mesmo que isso possa incomodar ou entristecer os outros.

____16. Evito falar de assuntos pessoais no trabalho.

____17. Planejo minhas tarefas antes de iniciá-las.

____18. Estou sempre em busca de desafios que desenvolvam minhas habilidades.

____19. Escolhi um corte de cabelo adequado a minha idade e posição.

____20. Minhas mensagens verbais são claras e concisas.

____21. Se me pedirem para tomar notas em mais de uma reunião, eu gentilmente me recusarei.

____22. Não me sentirei culpada se minhas prioridades me impedirem de fazer um favor a alguém.

____23. Não encaro como um problema pessoal o fato de alguém se ofender com minhas palavras.

____24. Peço favores somente a pessoas às quais prestei assistência ou atenção especial.

____25. Apresento-me como voluntária para desempenhar tarefas importantes que demonstrem minha capacidade de exercer funções mais altas.

____26. Tenho o cuidado de usar acessórios discretos que combinem com minhas roupas.

____27. Minha voz é suficientemente alta e clara.

____28. Se uma pessoa me trata de forma imprópria, eu a informo disso e logo esclareço o assunto.

____29. Todos os dias, conscientemente, passo algum tempo conversando com meus colegas.

____30. Não tenho constrangimento de pedir aumento de salário se julgar que mereço.

____31. Por mais ocupada que esteja, eu não falto a reuniões nas quais haja oportunidade de mostrar minhas habilidades.

____32. Peço *feedback* aos colegas de trabalho pelo menos uma vez a cada dois meses.

____33. Visto-me para a função que desejo, e não de acordo com a que tenho agora.

____34. Não uso expressões vagas ("imagino que...", "uma espécie de...", "talvez se...", entre outras).

____35. Estou entre os primeiros a falar nas reuniões.

____36. Se não me convencer totalmente daquilo que uma pessoa diz, farei as perguntas necessárias ao esclarecimento do assunto.

____37. Meu aperto de mão é firme o bastante para demonstrar que devo ser levada a sério.

____38. Não cancelo compromissos pessoais já marcados por causa de trabalho.

____39. Se alguém repetir uma idéia minha que já comentei, vou chamar delicadamente sua atenção para esse fato.

____40. Não passo batom nem me penteio em público.

____41. Falo com calma, no ritmo necessário para expressar inteiramente minhas idéias.

____42. Sei muito bem defender minhas causas.

____43. Não peço permissão para gastar a verba da empresa em coisas adequadas.

____44. Meu local de trabalho é limpo e bem organizado.

____45. Não permito que os outros me façam perder tempo no trabalho.

____46. Quando minhas tarefas são reconhecidamente bem-feitas, demonstro isso a meus superiores.

____47. Encaro diretamente as pessoas quando sou apresentada a elas.

____48. Conheço os critérios de avaliação da empresa onde trabalho.

____49. Sei que sou boa no que faço.

GRÁFICO 2
Resultados da auto-avaliação

Passo 1. Escreva os pontos (1, 2 ou 3) de suas respostas ao lado do número da questão na tabela abaixo.

Passo 2. Some os pontos no sentido vertical e escreva na linha inferior para obter resultados por categoria.

Passo 3. Some os pontos no sentido horizontal e escreva nos quadrados cinza. A seguir some os pontos dessa coluna. Esse é o resultado total.

1. Joga	**2. Age**	**3. Pensa**	**4. Marketing**	**5. Parece**	**6. Fala**	**7. Reage**	
1	2	3	4	5	6	7	
8	9	10	11	12	13	14	
15	16	17	18	19	20	21	
22	23	24	25	26	27	28	
29	30	31	32	33	34	35	
36	37	38	39	40	41	42	
43	44	45	46	47	48	49	
1. Joga	**2. Age**	**3. Pensa**	**4. Marketing**	**5. Parece**	**6. Fala**	**7. Reage**	**Resultado total**

Interpretação

Circule os dois resultados mais altos da linha inferior. Essas são as duas áreas em que sua atuação é melhor e mais contribui para que você alcance o sucesso de forma positiva, confiante e competente. São seus pontos fortes para atingir metas de carreira, portanto continue a cultivar esses comportamentos mesmo que isso desagrade a algumas pessoas.

Circule os dois resultados mais baixos da linha inferior. Nessas duas áreas você encontra as maiores dificuldades para romper com os comportamentos femininos estereotipados. Se preferir, leia primeiramente os capítulos correspondentes para obter orientação imediata sobre a maneira de combater esses pontos fracos.

Se seu resultado total for:

49-87 Você assimilou muito profundamente seu papel social, e é provável que isso não a ajude nem um pouco a atingir suas metas profissionais. Preste muita atenção nas questões em que teve 1 ponto – elas indicam que você está correndo sério risco de sabotar sua carreira.

88-127 Você está quase lá, falta apenas um pouco de sintonia fina. Concentre-se nas áreas em que ainda tem dificuldade para livrar-se dos comportamentos estereotipados. Você descobrirá que pequenas mudanças podem trazer grandes benefícios.

128-147 Você está fazendo um ótimo trabalho de correção dos comportamentos trazidos da infância e da adolescência que poderiam prejudicar sua carreira. Continue assim, pois não há dúvida de que vale a pena.

Competência inconsciente

Está vendo? Eu disse que seu comportamento não é tão mau quanto você julgava. Existe na área de treinamento um modelo usado para ajudar as pessoas a desenvolver novas condutas. Chama-se *competência inconsciente*. O gráfico seguinte ilustra bem esse modelo.

GRÁFICO 3

Competência inconsciente

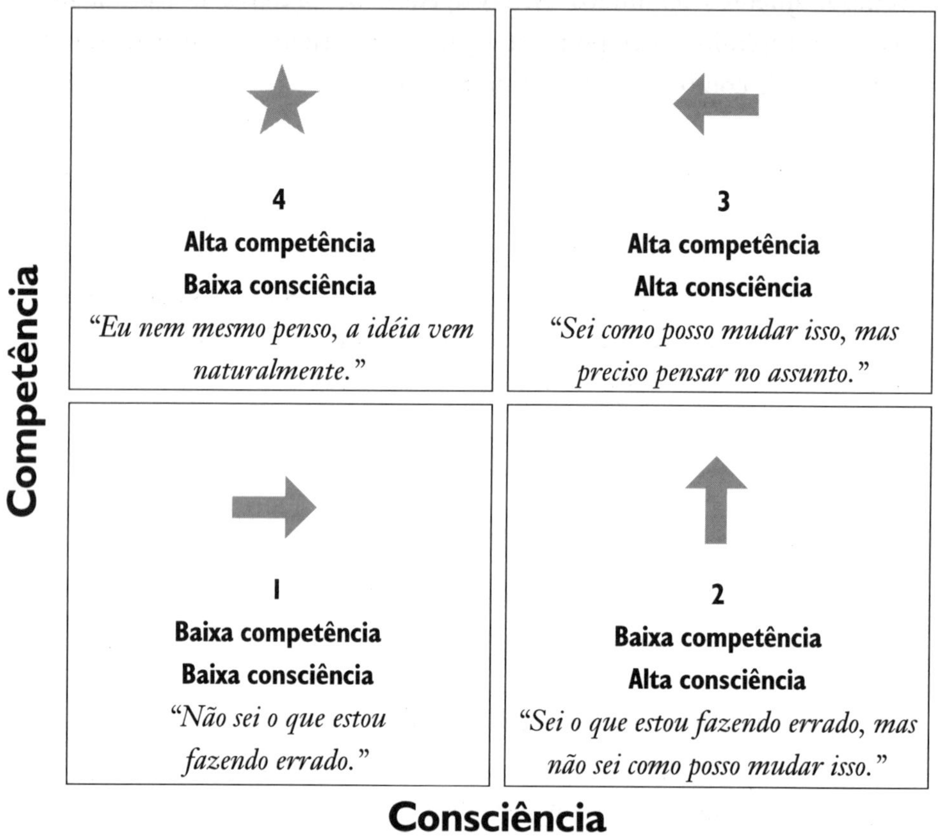

Seu desafio é mudar do campo 1 para o campo 4 *dentro de um prazo predeterminado.* Comece pelo campo 1 – você não tem consciência do que faz de errado, portanto não é possível ter a competência necessária para corrigi-lo (baixa consciência e baixa competência).

Depois de fazer o exercício de auto-avaliação e de ler os erros descritos no livro, terá mais consciência de seus comportamentos estereotipados, mas ainda não saberá o que fazer para modificá-los. Você mudou para o campo 2 – baixa competência ainda, mas alta consciência agora.

A prática das recomendações feitas após a apresentação de cada erro conduzirá você ao campo 3 – alta consciência e alta competência. Se já fez parte de uma equipe esportiva ou aprendeu a tocar um instrumento musical, você sabe como funciona esse estágio. Você se tornará cada vez mais capaz de incorporar novas atitudes às habilidades que já possui até conseguir fazer isso intuitivamente, sem nem mesmo pensar, atingindo assim o campo 4 – alta competência e baixa consciência. Embora a meta seja exatamente essa, não desanime se em alguns casos você não puder agir com total naturalidade. Seja qual for a situação, saberá que pode resolvê-la, mas talvez precise concentrar-se para obter um resultado melhor – e esse é o campo 3.

Como ocorre quando está aprendendo alguma coisa nova, no início você terá consciência de cada passo que precisa executar. Mas, após certo período de prática, será capaz de agir automaticamente, pois vencerá o medo de errar. Talvez nunca consiga essa desenvoltura em todas as áreas. A interiorização do papel social dificulta – e muitas vezes torna *impossível* – a adoção de certos comportamentos sem que tenhamos de pensar primeiro. Não haverá mal nenhum nisso se você agir conscientemente e com clareza de propósito.

Aprenda a lidar com a ansiedade

Posso perceber, pela expressão facial das mulheres e também por seus comentários, que a ansiedade e a confusão fazem parte desse processo de aprendizagem. Quando sugerimos que assumam seu poder pessoal, as mulheres recuam, temerosas, diante da possibilidade de que os outros as considerem masculinas, agressivas ou egocêntricas demais. Isso é tão contrário a nosso papel social que rejeitamos a simples idéia. O impulso de servir às outras pessoas antes de servir a nós próprias está tão arraigado que relutamos até mesmo em pensar nas alternativas existentes.

Por mais irônico que possa parecer, o fato é que as mulheres usam seu poder o tempo todo – de forma diferente dos homens. Atitudes baseadas em nosso "charme juvenil" têm geralmente a mesma eficiência, mas são menos incisivas e menos desafiadoras. Em outras palavras, exercemos o poder mais indiretamente que os homens. Aprendemos a agir assim para não haver suspeitas de que queremos "usurpar" o poder deles. É nesse aspecto que reside a essência de nossas dificuldades para obter influência crescente e visibilidade organizacional.

Toda vez que uma mulher se reafirma *diretamente*, no entanto, é como se dissesse aos homens importantes de sua vida (marido, filhos, patrões ou qualquer outra figura masculina de autoridade): "Eu quero alguma coisa de você. Quero o que é meu por direito. Espero que minhas necessidades também sejam atendidas". Mas com freqüência essas reafirmações se fazem acompanhar de um forte sentimento de culpa. Confundimos o ato de *retomar* o controle de nossa vida com a atitude de *arrebatar* alguma coisa de alguém. Mais que simplesmente receber o que precisamos, merecemos ou desejamos, estamos forçando os outros a nos devolver o que nos foi tirado durante tanto tempo. É difícil, porém, lidar com as reações que esse comportamento provoca. As outras pessoas não querem, na verdade, que a situação se altere – *elas* já têm tudo de que precisam, portanto por que deveriam mudar?

A resistência a mudanças é normal e até previsível. Assim como o alcoólatra em recuperação encontra ex-companheiros de embriaguez que se aliam para levá-lo de volta ao vício, a garota que se esforça para tornar-se uma mulher adulta depara com pessoas que desejam continuar a infantilizá-la. Você precisa ter isso em mente se quiser de fato realizar seus objetivos.

O que uma garota deve fazer?

Apresento agora algumas recomendações específicas – um prelúdio do que virá nos capítulos seguintes. Trabalhe com uma delas de cada vez. Não tente aplicar todas ao mesmo tempo, pois você apenas ficará frustrada. Destaque uma ou duas para trabalhar e só depois de se familiarizar com elas recomece o processo, escolhendo outras.

- **Permita-se deixar de ser uma garota e torne-se uma mulher adulta.** Embora essa idéia pareça simples, há muita resistência a ela pelas razões que acabo de mencionar. Mantenha uma boa e longa conversa com você mesma. Convença-se de que não tem apenas permissão, e sim o direito, de agir como uma mulher adulta que quer alcançar e cumprir suas metas. Repita sempre esta frase: "Eu tenho o direito de atender também as *minhas* necessidades".
- **Visualize a si mesma como deseja ser.** Se conseguir ver, conseguirá fazer. Imagine-se no papel que sente vontade de desempenhar. Se seu sonho for um posto de comando, veja a si mesma em seu escritório, cercada de todo o luxo e de todas as comodidades a que tiver direito. Reflita sobre os comportamentos necessários para garantir a realização desse sonho e ponha-os em prática.
- **Reaja à voz interior cheia de medo que existe em sua mente.** Isso pode parecer loucura a princípio, mas a verdade é que você precisa reagir às velhas mensagens mentais e substituí-las por outras, mais novas e positivas. Se essa voz medrosa disser "ninguém mais gostará de mim se eu mudar", deixe a mulher adulta que já existe em você responder: "Essa é uma velha mensagem, vou criar outra que me dê mais poder".
- **Proteja-se com um escudo invisível e impenetrável.** Essa defesa lhe permitirá ver o que acontece em seu redor sem ser atingida pelas influências negativas dos outros. Fiz essa sugestão a uma cliente, e ela me disse tempos depois que achara a idéia meio maluca, mas mesmo assim decidiu segui-la – e descobriu, surpresa, que dava certo! Nas situações difíceis, ela se imaginava dentro dessa "bolha"

protetora, que a defendia dos comentários depreciadores das outras pessoas e lhe permitia manter-se numa postura centrada e adulta.

- **Construa com palavras uma nova imagem para você.** Há um exercício rotineiro que aplicamos nas aulas de liderança: pedimos aos participantes para escrever, usando 25 palavras, uma frase com a qual gostariam que as outras pessoas os descrevessem. Pronta a frase, todos faziam uma lista dos comportamentos necessários para conseguir isso. Você pode seguir o exemplo. Escreva o que deseja que os outros digam a seu respeito e depois execute as ações indispensáveis para transformar sua frase em realidade. Em resumo, aceite a responsabilidade de ser uma mulher adulta.
- **Identifique as resistências e aprenda a enfrentá-las.** Quando deparar com a resistência dos outros a seus esforços para tornar-se mais direta e poderosa, pense em primeiro lugar que essa reação tem o intuito de limitá-la a uma condição de menor poder. Em vez de submeter-se, questione essa atitude. Diga, por exemplo: "Parece-me que você não concorda com o que digo. Deixe-me dar uma explicação lógica de minha posição e depois talvez você possa dizer por que discorda de mim".
- **Solicite *feedback*.** Se você quiser evitar preocupações com eventuais atitudes inadequadas, peça o *feedback* de um amigo ou colega de confiança. Não faça perguntas que possam ser respondidas com um simples "sim" ou "não" ("Você acha que eu exagerei?", por exemplo). Experimente perguntas que levem a respostas em aberto, com *insights* da opinião dos outros sobre você ("Diga-me o que fiz na reunião que pode me ajudar ou impedir de realizar meus objetivos", por exemplo).
- **Não persiga a perfeição.** Apesar de toda a minha experiência na área, nem mesmo eu consigo desenvolver todos os comportamentos adequados descritos neste livro. Existem alguns tão contrários a minha personalidade que nem sequer tento adotá-los. Há outros ainda em que não me saio bem, por mais que me esforce. O importante é desenvolver os mais necessários e permitir que o tempo faça seu trabalho com relação aos demais.

Próximos passos

Daqui por diante você estará por sua conta. Sugiro que comece pela leitura dos dois capítulos que coincidem com seu total *mais baixo* de pontos no exercício de auto-avaliação. É nesses dois aspectos que precisa de mais ajuda. Certamente nem todos os erros de cada capítulo se aplicam a você, portanto não fique sobrecarregada, fazendo de cada recomendação uma meta a ser alcançada. Em vez disso, anote no rodapé das páginas as idéias que, em sua opinião, podem ser mais valiosas para você e trabalhe seriamente com elas. Evite a tendência a ignorar as recomendações que lhe parecerem muito difíceis. Elas representam os aspectos nos quais provavelmente você conseguirá as mudanças de comportamento mais profundas e necessárias.

Depois de ler as seções que correspondem a seus pontos fracos, volte ao início e examine as restantes. Todos os 101 erros são reais, cometidos por mulheres reais. Representam o resultado de meu trabalho de *coach* e das contribuições que recebi de homens e mulheres das empresas com as quais colaborei em vários países, bem como das participantes de meus *workshops*. Recebi também contribuições de gente que nem sequer conheço, mulheres que souberam por intermédio de amigas que eu estava escrevendo um livro e enviaram-me *e-mails*, ansiosas por compartilhar sua experiência com você, leitora.

Quanto às recomendações que apresento, a maioria provém do trabalho que realizei com minhas clientes durante anos, e sua eficácia é comprovada pelo *feedback* que tenho recebido. Elas afirmam que até mesmo pequenas mudanças de comportamento tiveram impacto positivo em sua imagem e sua carreira. Outras sugestões foram fornecidas por meus colegas da equipe de consultoria da Corporate Coaching International, que são especialistas em áreas como comunicação, planejamento estratégico de carreira e equilíbrio entre vida profissional e pessoal. No fim do livro há um modelo de plano de desenvolvimento pessoal. Se você estiver realmente interessada no aprimoramento de suas qualidades individuais e profissionais, recomendo que complete esse plano tão logo termine de ler o livro. Ele vai ajudá-la a manter-se no rumo certo e também a monitorar seu progresso. Agora tudo depende de você. Boa sorte!

capítulo 2

Como você joga

Muitas mulheres – principalmente aquelas que cresceram durante os anos 1950 e 1960 – nunca tiveram a oportunidade de participar de competições esportivas. A presença da mulher nas Forças Armadas, nas academias militares e em outras atividades de alta competitividade é muito recente. Em conseqüência disso, não aprendemos a enfrentar o jogo da concorrência. Quando participamos dele, agimos dentro dos limites e não corremos riscos. E, pior ainda, muitas mulheres consideram o jogo da competição profissional uma coisa desagradável e suja que deve ser evitada a qualquer custo.

Vamos começar pela lição mais importante: o mundo profissional *é* um jogo, e você *pode* vencê-lo. Na verdade, as mulheres nasceram para ganhar esse jogo. Eu passo a metade do tempo trabalhando com os homens para ensiná-los a agir mais como as mulheres. É claro que não digo isso a eles com essas palavras, pois se o fizesse arruinaria minha carreira. Pelo contrário, falo sobre a importância de habilidades como saber ouvir, colaborar, motivar e considerar o lado humano de seus funcionários. Essas atitudes são tipicamente femininas, pois sempre foram ensinadas às mulheres, que as cultivam durante toda a vida.

Há dois aspectos, porém, nos quais em geral as mulheres têm menos habilidades que os homens: conhecer os limites e entender as regras implícitas, que nunca são verbalizadas. Dentre todas as recomendações deste livro, as que estão contidas nas próximas páginas são, para as mulheres, as mais difíceis de incorporar a seu repertório de habilidades. Muitas delas são contrárias a tudo aquilo que aprendemos desde a infância. Resista, portanto, à tentação de ignorar essa parte mais dura. Se você não jogar, não poderá vencer.

Erro 1

Fingir que isso não é um jogo

O ambiente de trabalho é exatamente isso – um jogo. Existem regras, limites, vencedores *e* perdedores. As mulheres tendem a abordá-lo mais como um evento (um piquenique, um concerto, um bazar de caridade) a que todos comparecem todos os dias para jogar juntos lealmente. Em nosso desejo de criar situações do tipo ganha-ganha, nós geramos, sem querer, condições do tipo ganha-perde – e, obviamente, *nós* é que perdemos. Entrar no jogo profissional não significa que você tenha de causar o fracasso dos outros, mas esse é de fato um jogo competitivo. É preciso estar alerta para as regras e desenvolver estratégias que façam essas regras trabalhar a seu favor.

Bárbara é um exemplo da falta de compreensão das regras do jogo. Ela trabalhou durante anos no setor bancário como diretora de marketing. Atingiu tal nível de sucesso na carreira que inúmeras empresas a convidaram para ocupar altos cargos executivos. Escolheu uma delas, do setor químico, onde entrou como vice-presidente. Quando lhe recomendaram um trabalho de *coach* comigo, não conseguia entender por que sua carreira começava a naufragar. Tudo o que dera certo para ela no setor bancário falhava na nova posição. Seu estilo atencioso e solícito de gerir as pessoas e interagir com elas passou a ser visto como sinal de fraqueza e indecisão. Bárbara, sem entender que se tratava de um torneio diferente, continuou jogando segundo as velhas regras – e, pela primeira vez em sua carreira, se viu diante da possibilidade de fracassar.

O mundo dos negócios não é um jogo de regras fixas. Essas regras mudam de empresa para empresa e até de departamento para departamento dentro da *mesma* empresa. Atitudes que dão bom resultado com um chefe talvez tenham efeito contrário com outro. Manter a bola sob controle torna-se essencial quando a questão é vencer esse jogo.

Recomendações

1. Aprenda a jogar xadrez. Isso a ajudará a desenvolver o raciocínio estratégico.
2. Faça uma lista das regras do jogo de seu ambiente de trabalho. Lembre-se de que essas regras são, quase sempre, expectativas implícitas com relação aos comportamentos desejáveis. Mesmo que não consiga completar a lista nos primeiros dias, procure observar a maneira como as pessoas interagem, os memorandos e as reuniões, mas faça isso de um ponto de vista diferente daquele que você adotou no passado. Eis algumas regras comuns a todas as empresas: *não discuta com o patrão; todos trabalham pelo menos dez horas por dia; ser bem-educado é mais importante do que ter razão; os prazos devem ser cumpridos sob quaisquer circunstâncias; os orçamentos precisam ser estritamente respeitados; e o cliente está sempre em primeiro lugar*, entre outras. Enquanto elabora a lista, compare seus comportamentos habituais com as novas expectativas e encontre uma forma de harmonizá-los.
3. Procure um mentor, alguém que seja bem-sucedido no jogo, com quem você possa discutir abertamente as regras de sua empresa.
4. Se você não pratica nenhum esporte atualmente, trate de começar. Não importa que seja tênis, natação ou vôlei, o essencial é aprender a linguagem do jogo.

NOVA CONDUTA

Erro 2

Jogar em segurança e dentro dos limites

Ansiosa e inexperiente como todo aprendiz de tênis, eu costumava bater na bola de forma “quadrada”, dentro dos limites, porque temia ultrapassar as linhas de marcação e perder pontos. No esforço de jogar em segurança, eu estreitava artificialmente meu campo de atuação. Depois de algum tempo, percebi que nunca conseguiria ganhar uma partida se continuasse a jogar daquela maneira. Se quisesse vencer, eu precisava aprender a bater a bola na direção das linhas divisórias da quadra sem, contudo, ultrapassá-las – em outras palavras, era necessário correr algum risco. Saí, portanto, de minha zona de conforto e descobri que assim eu podia ganhar mais partidas.

Usei essa analogia com uma cliente recentemente promovida à posição de supervisora cujo *feedback* demonstrava baixa “proatividade”. Perplexa, ela comentou: “Como podem acusar-me de não ser proativa? Faço tudo o que acho que devo fazer sem que me peçam”. Mas fazer tudo o que se pode fazer não é ser proativo. Minha cliente simplesmente fazia o que se esperava dela. Nessa nova função, seus superiores tinham a expectativa de que ela assumisse maiores responsabilidades e tomasse decisões independentes. Quando fiz essa sugestão, respondeu que não queria passar à frente deles, por isso lhes reportava as decisões mais importantes.

Perguntei à cliente se jogava tênis e, felizmente, ela respondeu que sim. Dessa forma, bastaram alguns momentos para que entendesse a analogia. Percebeu que não estava usando todo o espaço disponível para trabalhar. Imaginando o que seria ou deixaria de ser aceitável para os gerentes, ela estreitou seu campo de atuação. Em vez de se arriscar a lançar a bola além dos limites, ela adotou comportamentos que manteriam o jogo estritamente dentro das linhas da quadra. Mas isso não era suficiente para a gerência, cuja expectativa era a de que os membros de sua equipe corressem riscos calculados e fossem além do que se pedia a eles.

Episódios desse tipo são comuns nas empresas. Mesmo conscientes de que o ambiente de trabalho é sempre como uma partida decisiva, as mulheres revelam a tendência de jogar com segurança em vez de jogar com inteligência. Seguem todas as regras ao pé da letra e esperam que os outros ajam da mesma forma. Se a política da empresa diz "não faça isso", a regra se torna lei. Se elas acreditam que uma atitude pode aborrecer alguém, não a tomam. Veja bem, não se trata de contrariar a ética, mas convenhamos que *é* um jogo – e você precisa vencê-lo. Para isso é necessário usar todo o campo de atuação disponível.

Minha cliente seguiu a recomendação que lhe dei e solicitou a ajuda da gerência para definir seu grau de autoridade, pois dessa maneira ficaria mais à vontade para assumir alguns riscos. Várias semanas depois, durante uma conversa sobre outros assuntos que mantive com seu superior, ele comentou que ela demonstrava mais iniciativa e seu desempenho estava muito próximo do ideal.

Recomendações

1. Jogue dentro dos limites, mas permita-se correr alguns riscos.
2. Escreva duas regras de sua empresa que você interpreta de forma rígida e segue fielmente. Observou se alguns de seus colegas suavizam essas regras? Em caso positivo, o que aconteceu com eles por causa disso? Se não houve nada, corra o risco de ampliar, e não mais estreitar, os limites de interpretação das regras.
3. Se não tiver certeza de que alguma coisa é *permitida*, faça-a assim mesmo. Se não tiver certeza de que alguma coisa é *ética*, pergunte.
4. Se o chefe lhe chamar a atenção por sua ousadia, não leve essa atitude para o lado pessoal – e, principalmente, não volte à zona de conforto. Encare a "bronca" como uma oportunidade de conhecer bem os limites e descobrir a melhor maneira de "bater na bola".

NOVA CONDUTA ☐

Erro 3

Trabalhar demais

Há uma frase muito popular que diz: "As mulheres precisam trabalhar duas vezes mais para provar que têm a metade da competência dos homens". Por isso elas parecem formigas – trabalham, trabalham, sempre trabalham. Queixam-se porque fazem mais que os outros, e é verdade! A crença de que as pessoas progridem porque trabalham demais não passa de um mito. Na verdade, ninguém consegue uma promoção apenas pelo fato de trabalhar duramente. Senso de oportunidade, raciocínio estratégico, rede de relacionamentos e talento para o trabalho de equipe são apenas alguns dentre outros fatores que constroem uma carreira bem-sucedida.

Todos devem fazer sua parte, dividir o peso das obrigações, mas isso não significa que você, exclusivamente, precise trabalhar demais. Às vezes chego a pensar que as mulheres agem assim porque para elas é mais fácil fazer o que já conhecem bem do que adotar comportamentos que lhes parecem estranhos. Uma cliente certa vez queixou-se de que, nas manhãs de segunda-feira, seus colegas de trabalho passavam a primeira meia hora do expediente comentando com o patrão os jogos de domingo.

"Que grande perda de tempo! Eu ali, trabalhando direto, e eles falando de futebol", lamentava-se. O fato de que os mesmos colegas eram sempre indicados para as tarefas mais importantes a incomodava ainda mais. Enquanto as mulheres consideram um "desperdício do dinheiro da empresa" fazer qualquer outra coisa além de trabalhar durante todo o expediente, os homens sabem que, com esses comentários sobre futebol ou sobre outras atividades de lazer, estão cultivando relacionamentos que no futuro reverterão em seu favor. Numa situação como essa, os colegas estabeleciam vínculos que permitiam ao patrão conhecer mais de perto os membros de sua equipe. Em conseqüência, quando surgiam oportunidades de crescimento profissional, ele os escolhia exatamente por conhecê-los e sentir-se bem em sua companhia.

Aí está um dos segredos mais bem guardados do mundo dos negócios: as pessoas não são contratadas nem promovidas apenas pelo fato de trabalhar demais. Isso ocorre porque o profissional que toma as decisões conhece o *caráter* do colaborador e confia não só em sua capacidade de executar bem o trabalho como também de promover a união e o bom rendimento dos membros da equipe. Com a atitude de mergulhar exclusivamente no trabalho, minha cliente agia, na verdade, em detrimento daquilo que tanto desejava – tarefas mais interessantes e uma oportunidade de demonstrar sua capacidade de fazer mais.

Recomendações

1. Permita-se "desperdiçar" alguns minutos. É um erro não investir 5% de seu horário de expediente no cultivo de bons relacionamentos.
2. Estabeleça um limite para as horas de trabalho e mantenha-se fiel a ele. Lembre-se desta frase: "O trabalho se expande para todas as horas disponíveis". Isso não quer dizer que não haja situações em que seja necessário fazer horas extras. Mas, se você for sistematicamente a última pessoa a sair do escritório, alguma coisa está errada.
3. Determine as tarefas a cumprir logo no início de cada dia. Dessa forma, você evitará a tendência de interromper um trabalho prioritário para atender aqueles que acabam de "pousar" em sua mesa e podem ser feitos mais tarde.

NOVA CONDUTA

Erro 4

Fazer o trabalho dos outros

Quando Harry Truman* disse "a responsabilidade termina aqui", estava certamente pensando numa mulher. Nossa tendência de assumir não apenas nossa responsabilidade como também a dos outros é mais um comportamento prejudicial. Sim, você tem, com relação a seu empregador, a responsabilidade de entregar um produto ou serviço de alta qualidade, mas essa obrigação não é *somente* sua. As mulheres têm o hábito desagradável de dizer: "Se eu não fizer isso, ninguém o fará por mim". Essa atitude apenas reforça a possibilidade de *você mesma* ter de fazer seja o que for – e por muito tempo.

Há outro problema associado à tendência de assumir responsabilidades excessivas: enquanto as mulheres executam o trabalho rotineiro e monótono, os homens constroem sua carreira. Eles não são tolos. As promoções são recompensas dadas a quem *apresenta* o trabalho pronto, e não necessariamente a quem o *executa*. Um de meus gerentes certa vez me disse que há dois tipos de profissional: os carreiristas e os empreendedores. Os empreendedores se ocupam com a execução do trabalho. Os carreiristas passam o tempo administrando sua carreira. Verdade seja dita, é preciso ter um pouco de ambas as características para progredir no mundo empresarial.

---

* Presidente dos Estados Unidos de 1945 a 1953. (N.E.)

Recomendações

1. Pare de se oferecer como voluntária na execução de tarefas rotineiras e de pouca expressão. Se necessário, sente-se sobre sua mão, mas não a levante.
2. Defenda-se quando alguém quiser delegar a você tarefas que não são suas. Diga apenas, em tom natural, sem se justificar: "Olhe, eu adoraria ajudá-lo nisso, mas estou completamente atolada de trabalho". Em seguida, mude de assunto. Evite a inclinação instintiva de resolver os problemas de seus colegas. São problemas *deles*, e não *seus*.
3. Se você tiver pessoas sob seu comando, não permita que deleguem tarefas. Isso acontece com freqüência quando seus funcionários alegam não ter tempo ou se declaram incapazes de fazer determinado trabalho. Evite executar você mesma as tarefas deles, pois essa atitude seria profundamente prejudicial a sua autoridade e credibilidade. Sugira, pelo contrário, que peçam a ajuda de um colega ou, se seu tempo permitir, aproveite a oportunidade para ensinar a tarefa.
4. Rejeite o sentimento de culpa por dizer "não". Diga para você mesma: "Não devo me sentir culpada pelo fato de atender primeiro às minhas necessidades".

NOVA CONDUTA ☐

Erro 5

Trabalhar sem descanso

Existe muita verdade no ditado "se você precisar que uma coisa seja feita, peça a uma mulher". As mulheres trabalham *sem descanso* para levar a cabo um projeto. O trabalho sem pausas não apenas prejudica a saúde como também, na verdade, impede o desempenho ideal. Os especialistas em produtividade recomendam uma pausa a intervalos de noventa minutos para conseguir a máxima concentração e qualidade em qualquer tarefa.

Se você trabalhar sem parar, sem dúvida causará a impressão de nervosismo e ineficiência. Um empresário comentou comigo que sua vice-presidente lhe causava certo mal-estar porque parecia sempre sobrecarregada e aflita (palavra *raramente* usada para descrever um homem). O trabalho durante o horário de almoço e a ausência de pausas para retomar o fôlego não impulsionam a carreira de ninguém. Se você causar a impressão de estar eternamente atolada de trabalho até as orelhas, será muito pouco provável que lhe ofereçam projetos ou tarefas que poderiam proporcionar o merecido reconhecimento a seu desempenho.

Recomendações

1. Adote o hábito de levantar-se da mesa de trabalho para uma pausa relaxante pelo menos a intervalos de noventa minutos.
2. Planeje, no início de cada semana, pelo menos um almoço com seus amigos.
3. Faça breves visitas à sala de alguns colegas, ao longo do expediente, para conversar um pouco. Se alguém aparecer em sua sala, interrompa o que está fazendo e convide-o a entrar.
4. Programe o alarme do computador para avisá-la da hora da pausa – e pare realmente.
5. Aprenda a aproveitar melhor o horário de almoço: compre alguma coisa que lhe dê prazer ou simplesmente faça uma caminhada para refrescar a mente e preparar-se para as atividades da tarde.
6. Se estiver pensando agora que não tem tempo para essas coisas, não resta nenhuma dúvida: você *está* trabalhando demais. Pergunte a si mesma se vale a pena ser a caça, e não o caçador.

NOVA CONDUTA ☐

Erro 6

Ser ingênua

As mulheres talvez não sejam as campeãs da ingenuidade, mas com certeza tendem a tomar o que os outros dizem como verdade incontestável. As razões disso são interessantes: em geral não achamos necessário comprovar a veracidade do que ouvimos porque, além de não desejar causar embaraços, preferimos ver apenas o lado bom das pessoas. Concentradas em nosso trabalho, não percebemos os comportamentos mais óbvios que se manifestam em torno de nós.

A ingenuidade causou sérios problemas a Lisa, por exemplo. Ela exercia a função de diretora de desenvolvimento de uma instituição sem fins lucrativos conhecida em todo o país. Seu setor era eficiente, havia forte espírito de equipe e de colaboração entre os funcionários e, durante toda a gestão de Lisa, as metas de levantamento de fundos da entidade foram ultrapassadas. Tudo corria bem até que ela contratou Adam, filho de um dos mantenedores da instituição. Seus colegas a avisaram de que essa contratação não era uma boa idéia, mas Lisa estava convencida de que, com regras claras e boa comunicação com Adam, tudo daria certo.

Em poucos meses, a equipe começou a falhar. O moral despencava e os funcionários não conseguiam atingir suas metas mensais. Alguns deles confidenciaram a Lisa que o novo contratado falava mal dela pelas costas e espalhava mentiras a seu respeito. Os gestores da instituição a chamaram várias vezes para explicar a inquietação de sua equipe. Pela primeira vez em sua vida profissional, Lisa foi considerada uma líder incompetente.

Quando discutiu abertamente a questão com Adam, ele negou ter feito qualquer coisa que minasse sua autoridade. Desejosa de acreditar nele, Lisa reiterou-lhe suas expectativas positivas. Mas o problema apenas se agravou. Os comentários chegaram aos mantenedores, que pediram explicações à diretoria da entidade. Finalmente, Lisa deixou a instituição para ocupar posição melhor em outra empresa, embora não fosse exatamente o que ela planejara antes da chegada de Adam.

Ao encontrar uma pessoa ingênua, quase sempre experimentamos uma sensação de alívio. A ingenuidade dos jovens em início de carreira, por exemplo, pode ser benéfica, pois essa condição normalmente atrai alguém bem-intencionado que se torna seu mentor ou lhes ensina as regras do jogo. Mas, quando notamos a mesma ingenuidade num profissional maduro, passamos a desacreditar dele. Nas mulheres, a demonstração de ingenuidade revela a incapacidade de interpretar corretamente as situações ou de aprender através da experiência.

Recomendações

1. Se alguma coisa não fizer sentido para você, peça uma explicação. Se a pessoa não lhe der uma explicação clara, suspeite de suas intenções.
2. Sem chegar ao extremo de esperar sempre o pior, cultive o hábito de perguntar a si mesma que motivos uma pessoa teria para agir mal.
3. Não confie nos conhecimentos de uma única pessoa para tomar decisões importantes. Solicite apoio de outras fontes também confiáveis.
4. Se ocorrer uma circunstância em que você seja a única pessoa do escritório a discordar do consenso geral de que uma tarefa não pode ser feita, pois acredita ser capaz de executá-la, um alarme deve soar: você está sendo ingênua.
5. Confie em seus instintos. Se uma coisa lhe parece ruim e lhe provoca sensações ruins, ela é de fato ruim.

NOVA CONDUTA

Erro 7

Economizar o dinheiro da empresa

Habituadas a prestar contas da maneira como gastam seu dinheiro, as mulheres, até mesmo as mais independentes, caem na armadilha de poupar o dinheiro da empresa. Elas renunciam aos menores confortos, muitas vezes necessários, por medo de gastar alguns trocados a mais da verba da organização em legítimas despesas de negócios. Algumas chegam a alardear seu senso de economia (ou de avareza?) como se fosse um troféu. No entanto, na maior parte dos casos, essa economia é insignificante para a empresa.

A insensatez de atitudes desse tipo chamou minha atenção quando uma cliente, executiva de alta competência, comentou comigo o atraso de um vôo que faria de Los Angeles a Nova York. Sua idéia original era, após o desembarque, tomar um trem para sua cidade, na região metropolitana de Nova York, onde o marido a esperaria na estação. Com o atraso, no entanto, ela perderia o último trem. Na tentativa de pensar na maneira mais econômica de chegar em casa, ela considerou até mesmo a idéia de pedir ao marido que fosse buscá-la no aeroporto, às duas da madrugada, para economizar o dinheiro do táxi. Convenhamos, esse foi um erro! Em seu lugar, um homem não hesitaria em alugar um automóvel ou tomar um táxi – sem se preocupar com a despesa extra.

Ao economizar trocados, você gasta tempo e energia com detalhes sem importância. Além disso, seus empregadores provavelmente a julgarão imatura para assumir grandes projetos. E, pior ainda, com essa atitude estará negligenciando um dos maiores bens de sua empresa – *você*.

Recomendações

1. Diante da necessidade de uma despesa, considere os objetivos mais abrangentes e a diferença que esse gasto poderá representar em termos gerais para a empresa e, em particular, para sua carreira.
2. Se você tem uma verba, use-a. São raras as empresas que recompensam seus funcionários por ser econômicos.
3. Pense nas vantagens de gastar pequenas somas destinadas às boas relações com os funcionários. Um almoço de confraternização ou um arranjo de flores para um colega hospitalizado não vão arruinar o orçamento, mas renderão bons dividendos em termos de boa vontade e lealdade.
4. A não ser que tenha recebido ordens expressas em contrário, nunca peça permissão para gastar dinheiro. Em vez disso, gaste primeiro e espere uma advertência se houver problemas – se ela vier, não se desculpe. Simplesmente entenda a mensagem e solicite esclarecimentos sobre a atribuição e a autorização de despesas.
5. Quando sua voz interior disser "não sei se devo ou não gastar esse dinheiro", faça por sua vez a seguinte pergunta: "Qual será o custo (em termos de tempo, recursos ou dinheiro) de deixar de gastá-lo?"

NOVA CONDUTA ☐

Erro 8

Esperar que lhe dêem *o que você quer*

Muitas mulheres declaram-se desapontadas porque suas necessidades nunca são atendidas sem que precisem pedir por isso. Não entendo essa queixa. Já ouviu a frase "a roda que range recebe graxa"? Por outro lado, se você for uma dessas pessoas que nunca ficam satisfeitas com o que conseguem, é provável que encontre resistência a suas constantes exigências. No entanto, as mulheres freqüentemente têm a sensação de estar pedindo demais, mas isso não é verdade. Se você não pedir, não correrá o risco de ouvir um "não", mas tampouco receberá o que deseja.

O exemplo mais óbvio dessa questão ocorre quando finalmente as mulheres criam coragem de pedir aumento de salário. Elas quase sempre se sentem como se estivessem fazendo uma coisa errada ou julgam não ter o direito de solicitar aquilo que lhes é devido. Depois de trabalhar muito tempo no setor de recursos humanos, sei bem que os homens cuidam com carinho das próprias necessidades, mas costumam subestimar o valor e os direitos das mulheres. As profissionais norte-americanas ganham em média 28% menos que seus colegas do sexo masculino. Essa diferença se agrava ainda mais com relação às mulheres latinas e negras. Estas ganham 35% menos que os homens, enquanto as latinas ganham 48% menos que seus colegas também latinos. Embora boa parte dessa discrepância tenha ligações claras com a discriminação, existe também outra causa: os grupos minoritários dificilmente *pedem* o que desejam.

Uma cliente me contou certa vez que o abono que recebera era menor que o de seus colegas. Esse prêmio fora prometido a todos os funcionários que se transferissem a um novo departamento da empresa em que trabalhavam. Perguntei-lhe se sabia as razões disso. Como é natural diante de uma situação incompreensível, ela acreditava que o motivo fosse a falta de respeito e de interesse por seu trabalho. Isso a perturbou a ponto de lhe tirar o sono. Sem dúvida era preciso fazer alguma coisa, mas minha cliente hesitava diante da idéia de "virar a mesa".

Depois de muita discussão, combinamos o que diria ao gerente de recursos humanos para descobrir a causa do problema. Ela queria perguntar se estava autorizada a receber o abono integral, como seus colegas. Esse é o comportamento típico de uma garota – nunca pergunte se está autorizada a receber uma coisa que lhe foi prometida! Sugeri que não pedisse, e sim presumisse estar autorizada a receber o abono integral – e perguntasse por que isso não acontecera. Em essência, ela disse o seguinte ao gerente de RH: "O abono que me prometeram não consta em meu contracheque, por isso quero saber quando vou recebê-lo".

A questão, afinal de contas, nada tinha a ver com falta de respeito profissional nem com preconceito. O gerente apenas cometera um erro. Ela era a única, dentre todos os funcionários transferidos, que receberia aumento de salário algumas semanas após o pagamento do abono. O gerente decidira adiar esse pagamento para fazer toda a papelada de uma só vez. Se minha cliente não procurasse a razão da "injustiça", teria continuado a aborrecer-se e a perder o sono por causa de um simples deslize burocrático.

A lição que ela aprendeu foi dupla. Em primeiro lugar, em vez de alimentar pensamentos negativos, apure os fatos. Em segundo lugar, não espere receber o que lhe é devido – peça.

Recomendações

1. Planeje antecipadamente suas reivindicações, pense no que quer e nos motivos disso. Fale direta e objetivamente e, a cada pedido, acrescente duas ou três boas razões para ser atendida. Experimente o método DESCript, apresentado no erro 68.
2. Com relação aos fatos consumados, use a técnica da negociação, isto é, expresse seu pedido com uma frase afirmativa. Em vez de dizer, por exemplo, "eu gostaria de solicitar um aumento da verba de treinamento para o próximo ano", seja incisivo: "Acrescentei um aumento ao cálculo da verba de treinamento para o próximo ano. Isso se deve à contratação de pessoal e à aquisição de novas tecnologias".

3. Procure orientação para aprender técnicas de negociação ou leia livros sobre esse assunto.
4. Separe os conceitos de "ser querida" e de "conseguir o que você deseja" – eles são mutuamente exclusivos.
5. Escolha cuidadosamente o momento certo para pedir o que você quer ou merece. Solicitar aumento depois da demissão de um colega, por exemplo, não é uma boa idéia. Tampouco é recomendável pedir transferência para outro departamento no meio de um projeto importante – isso dará a impressão de que você quer fugir do trabalho. A noção de oportunidade é tudo na vida, portanto, para seu bem, cultive a sua.

NOVA CONDUTA ☐

Erro 9

Evitar a política da empresa

Repita comigo: "Política não é uma palavra sem sentido". Tentar evitar a política da empresa é como tentar evitar as mudanças de clima. Queira você ou não, a política faz parte da vida. É por meio dela que as coisas se realizam – no ambiente de trabalho, no governo, nas organizações. Se você não se envolver na política de sua empresa, não fará parte do jogo e, se não participar do jogo, não haverá possibilidade de vencê-lo.

A política dos negócios é simplesmente a política dos relacionamentos e a compreensão da importância do conceito de troca de favores implícito nessas relações. As carreiras são favorecidas ou destruídas no ambiente de trabalho por causa dos relacionamentos. Não esqueça: *no momento em que você precisar de um bom relacionamento, será tarde demais para cultivá-lo.* É preciso desenvolver boas relações todos os dias com todos os tipos de pessoa.

O bom relacionamento profissional, com o patrão ou com os colegas de trabalho, é aquele em que você define claramente o que tem a oferecer e o que quer ou precisa receber da outra pessoa. Isso ocorre constantemente, sem que seja preciso lhe dar um nome qualquer. Pense no relacionamento com sua melhor amiga: você pede conselhos a ela, procura sua companhia ou a convida para fazer compras no supermercado, entre muitas outras coisas. Se ela atende a seus pedidos, sua predisposição também é oferecer-lhe o que quiser ou precisar de você. Ainda que nunca se fale nisso, a expectativa de troca de favores está implícita em todos os relacionamentos. A política profissional não é diferente. Sempre que faz um favor a alguém, você ganha um "crédito" que no futuro reverterá em seu benefício.

Recomendações

1. Pense nas circunstâncias políticas como faria com qualquer negociação. Procure aquilo de que a pessoa precisa, o que você tem a oferecer e a melhor maneira de facilitar uma situação do tipo ganha-ganha.
2. Lembre-se: a política da relação de troca baseia-se na premissa de que *uma coisa deve ser trocada por outra de igual valor.* Não dê apenas, pense também naquilo que você deseja em troca. Não tenha medo de cobrar seus créditos.
3. Se você ceder nas pequenas coisas sem importância, certamente vencerá nas questões de maior valor. Essa atitude equivale a um depósito em conta-corrente para ser utilizado no futuro.
4. Não evite os problemas políticos, pois as pessoas poderão ignorar você. Atue nas situações políticas de forma tal que os outros a considerem a *solução* do problema, e não o problema.

NOVA CONDUTA

Erro 10

Ser honesta demais

Os ataques terroristas de 11 de setembro de 2001 e a recente enxurrada de duvidosos acordos financeiros feitos por algumas grandes corporações nos oferecem exemplos extremos de situações em que a mulher atua com a consciência – apenas para ser ignorada, boicotada ou crucificada. Em primeiro lugar, a vice-presidente financeira da Enron, Sherron Watkins, alertou o presidente da empresa, Kenneth Lay, sobre a inquietação que sentia diante das práticas contábeis adotadas pelo setor muito antes da falência escandalosa. Em agosto de 2001 enviou um memorando a Lay em que se queixava do "véu de segredo" que envolvia os investimentos privados das sociedades da companhia. "Tenho um medo enorme de que possamos implodir numa onda de escândalos contábeis", escreveu ela. "Estamos sob forte auditoria, e há provavelmente um ou dois funcionários transferidos e descontentes que sabem o bastante sobre nossa estranha contabilidade para pôr a empresa em grandes apuros." Infelizmente para Lay, e para milhares de empregados da Enron, ele não deu ouvidos ao aviso de sua vice-presidente.

Cynthia Cooper, do departamento de auditoria financeira da WorldCom, percebera não ter escolha senão procurar a alta diretoria da empresa para denunciar a apropriação indébita de grandes somas de dinheiro quando sua gerência a intimou a ignorar os procedimentos contábeis desonestos que testemunhara. Esse foi, sem dúvida, o início do fim da prestigiosa corporação. Embora Cynthia tenha recebido elogios de pessoas desconhecidas por sua coragem, os colegas de trabalho a culparam e se afastaram dela.

Finalmente, houve o caso de Coleen Rowley, advogada do departamento jurídico do FBI, que se tornou a consciência da agência depois de dizer a verdade sobre as atitudes equivocadas tomadas com relação às evidências de atividades terroristas anteriores aos ataques de 11 de setembro de 2001. Apesar de ter recebido louvores públicos e o prêmio de “Personalidade do Ano” (dividido com Sherron Watkins e Cynthia Cooper) outorgado pela revista *Time* em 2002, ela passou a ser tratada como pária por seus colegas do FBI.

Isso não quer, absolutamente, dizer que as mulheres não devem agir de acordo com sua consciência e seus padrões éticos e morais. É muito mais provável, contudo, que elas apontem, com maior freqüência que os homens, as diferenças entre a política e as práticas de sua empresa. A maioria dos homens não tem dificuldade de interpretar as regras conforme as circunstâncias nem de considerar que, “se não houver prejuízo, não haverá infração”.

Vou dar um exemplo: Claudete era assessora do vice-presidente de relações públicas de uma grande empresa do setor de entretenimento. Seu chefe chegava sempre atrasado e esperava que Claudete justificasse suas ausências. Quando o presidente da divisão telefonava, às nove e meia da manhã, ela se sentia mal em dizer que seu chefe estava “em reunião” ou momentaneamente “fora da sala”. Se o horário de trabalho tinha início às nove horas, pensava Claudete, ele deveria chegar na hora. Da mesma forma, quando se atrasava na elaboração do relatório semanal de despesas, o homem não hesitava em alterar as datas para receber em dia seus reembolsos.

No início, ela apenas lembrava ao chefe que havia regras a cumprir, e ele conseguia persuadi-la a encarar suas atitudes de forma mais branda. Após algum tempo, Claudete procurou o setor de recursos humanos para queixar-se. Sentia que o chefe, agindo assim, queria convencê-la a contrariar seus valores éticos. O setor de RH, por outro lado, entendia que as normas da empresa não eram tão severas e que ela deveria ser mais solidária com o chefe se quisesse estabelecer um bom relacionamento com ele.

Incapaz de mudar suas rígidas convicções, Claudete finalmente pediu transferência para outro setor. A divisão de RH a atendeu prontamente, mas seus funcionários sabiam que a moça teria o mesmo problema com a maior parte dos executivos da organização. O chefe, afinal de contas, não lhe pedira nada de tão extraordinário – sua atitude não chegava nem perto de ferir a ética nem a moral. Embora seu pedido de transferência tenha sido atendido e ela trabalhasse agora para um chefe conhecido por sua extrema correção no cumprimento das regras, o pessoal de RH passou a considerá-la um problema potencial e percebeu que não seria fácil promovê-la no futuro.

A moral dessa história é a seguinte: antes de denunciar pequenas infrações, você deve pesar os benefícios de sua atitude com relação à política da empresa e preparar-se para as possíveis conseqüências. Sherron Watkins, Cynthia Cooper e Coleen Rowley merecem admiração pela coragem de agir conforme sua consciência. Em seu caso, as conseqüências foram terríveis para a empresa, para o país e para elas próprias. A maioria das pessoas, entretanto, precisa simplesmente entender a realidade de seu ambiente de trabalho.

Recomendações

1. O local de trabalho não é uma tribuna. Não faça uso dele para defender suas causas.
2. Não compare fazer *bem* com fazer *certo* segundo seus conceitos. Uma atitude controversa em relação a determinadas situações talvez faça você se sentir melhor, mas, com raras exceções, não resultará em progresso profissional.
3. Escolha suas batalhas com cuidado. Pergunte a si mesma se o risco de agir rigidamente de acordo com sua consciência equivale ao benefício potencial. Há momentos em que vale a pena correr esse risco – mas procure calculá-lo antes.

NOVA CONDUTA

Erro 11

Proteger os tolos

Não sei bem o que existe entre as mulheres e os tolos. Nós os atraímos como o mel atrai as moscas. E não apenas os atraímos mais que os homens como também temos mais paciência com eles. Como sempre tentamos evitar que as pessoas se sintam constrangidas, permitimos que eles tomem nosso tempo mais que o necessário, assumimos a culpa por seus erros e justificamos seu comportamento. Os homens parecem ter um "radar" muito melhor para detectar a aproximação dos tolos. Eles os "farejam" a quilômetros de distância – e os evitam a qualquer custo.

Greta é um bom exemplo de proteção aos tolos. Ela atua em Wall Street como fiscal especialista em negócios da Bolsa de Valores, e sua função é verificar se as transações são feitas dentro da lei e das diretrizes fixadas pela renomada empresa em que trabalha. Mas seu chefe é um tolo. Ele não sabe nada sobre os regulamentos de sua posição, mas isso não o impede de dizer todos os dias a Greta como fazer seu trabalho. Além disso, quase sempre dá a ela e a seus colegas informações erradas que poderiam criar graves problemas para a companhia. Apesar das tentativas de Greta de mostrar-lhe seus erros, ele insiste em forçá-la a seguir suas instruções.

Quando o vice-presidente do departamento quis saber o motivo de tantos erros cometidos em diversas transações, ela se recusou a dizer que apenas seguira as instruções do chefe. Em conseqüência, sua avaliação de desempenho caiu quase a zero e seu salário foi reduzido na mesma proporção. Os esforços de Greta para proteger o chefe não apenas destruíram sua carreira como também puseram a empresa na iminência de ser fechada por violação dos regulamentos.

Recomendações

1. Confie em seus instintos. Se você achar que alguém é tolo, isso provavelmente é verdade.
2. Guarde distância dos tolos e não se sinta culpada por isso.
3. Com palavras bem-educadas, mas firmes, convença o tolo a deixar você em paz (leia mais sobre o assunto no erro 90).
4. Quando você for acusada dos erros cometidos por um tolo, não hesite em apontar o verdadeiro culpado (é o que Greta deveria ter feito). Experimente dizer: "Compreendo que você esteja tão aborrecido por causa disso. Por que não fala com Carlos para descobrir o motivo de ele ter agido dessa maneira?"
5. Se o tolo for seu chefe, está na hora de procurar outro emprego. Pesquisas feitas pelo Center for Creative Leadership [Centro de Liderança Criativa] revelam que a tentativa de mudar os chefes tolos é perda de tempo. Os funcionários não conseguem mudar o comportamento dos chefes. Esqueça, portanto, a esperança de que seu chefe melhore e demonstre mais consideração por você.

NOVA CONDUTA ☐

Erro 12

Calar-se

Com medo de ser acusadas de agressivas ou delatoras, as mulheres quase sempre evitam dizer o que deveria ser dito. Quantas vezes você evitou fazer um comentário para em seguida ver um colega do sexo masculino ser elogiado por dizer exatamente o que você pensou? Saiba que as acusações de ser agressiva têm a finalidade de mantê-la em silêncio. Há verdadeiros complôs para fazer você sentir-se mal quando tem uma opinião alternativa. A atitude de calar-se é frustrante e serve apenas para dar a impressão de que você nunca está disposta a defender seus pontos de vista.

Veja o exemplo de Marilyn. Ela se viu envolvida numa guerra de *e-mails* com um colega que tinha fama de cara-de-pau. Nada o atingia porque ele vivia ocupado demais em julgar os outros e apontar seus erros. Durante certo tempo Marilyn tentou acalmá-lo para que não a culpasse pelos problemas existentes entre os departamentos de ambos, mas ele a ignorou. Quando lhe perguntei por que não dissera ao colega que simples acusações não resolveriam os problemas, ela respondeu que não desejava alimentar ainda mais a fogueira. Sugeri que, na próxima vez que ele a acusasse de alguma coisa, Marilyn deveria desviar a discussão para a solução do problema. Poderia dizer, por exemplo: "Acusações não nos levam a nada, Joe. Vamos falar sobre uma forma de ajustar nossos problemas de comunicação". Mesmo que ele respondesse "não estou acusando, estou apenas em busca da causa do problema", Marilyn poderia vencer a parada com esta frase: "Seja ela qual for, estou pronta a passar para a fase de solução do problema".

Um aspecto interessante desse caso é o fato de que Marilyn é uma mulher de 50 anos, de origem italiana, veio de um ambiente típico dessa colônia de imigrantes e casou-se com um homem muito mais velho que ela. Quando investigamos o que a impedira de encontrar uma solução para seu problema com o colega, ficou claro que o papel social tradicionalista causara sua submissão à figura masculina. Comentei com ela que sua política deveria seguir este velho ditado: "Quando estiver em Roma, faça como os romanos". Em outras palavras, talvez fosse apropriado agir segundo a tradição em seu ambiente familiar, mas no mundo profissional as regras são diferentes.

Recomendações

1. Aprenda a discordar sem ser desagradável. Isso será fácil se você realmente ouvir o que a outra pessoa diz e só depois der sua opinião. E prepare-se para embasá-la em dois ou três bons argumentos.
2. Arrisque-se mais a dar sua opinião nas reuniões de trabalho. Comece falando uma vez em cada reunião. Você verá que se torna cada vez mais fácil falar com desenvoltura.
3. Não desrespeite os costumes nem as tradições de seus antepassados, mas seja cautelosa com relação ao lugar, ao momento e à forma de aplicá-los.
4. Para amenizar a sensação de ser agressiva demais, você pode perguntar às outras pessoas o que acharam de sua opinião logo após expressá-la. Diga, por exemplo: "Esse é meu ponto de vista. Estou curiosa para saber o que vocês pensam".

NOVA CONDUTA ☐

Erro 13

Não tirar proveito dos relacionamentos

Uma consultora que conheço estava com dificuldade de vender sua idéia sobre um novo livro a uma editora. Quando comentávamos a melhor maneira de chamar a atenção de determinado editor, ela mencionou o fato de que seu pai, um líder conhecido internacionalmente em seu campo, mantinha um bom relacionamento com esse homem. Perguntei por que não dissera isso ao editor, e ela respondeu que não desejava tirar proveito do renome do pai. Esse é outro aspecto em que as mulheres jogam de forma diferente dos homens. Eles confiam nos relacionamentos para abrir portas e oportunidades e não acham que isso seja "tirar vantagem de ninguém". É por essa razão que, antes de qualquer outra coisa, tratam de cultivar boas relações no ambiente de trabalho!

Existe uma diferença entre citar um nome e valer-se de um relacionamento para abrir portas. A verdade é que uma boa rede de relações vende qualquer coisa hoje em dia, de carros a serviços de consultoria. Fazemos negócios com as pessoas de quem gostamos, assim como confiamos no julgamento delas. Essa associação é, com freqüência, mais bem-sucedida que muitas sociedades formais. Não tenha receio de estabelecer ligações com as pessoas certas de sua rede de relacionamentos.

Recomendações

1. Peça permissão para usar o nome de um colega quando precisar ter acesso a uma pessoa. Diga, por exemplo: "Ouvi quando você mencionou o nome de Helena Torres numa conversa. Estou tentando marcar uma reunião com ela e quero saber se posso dizer que o conheço".
2. Peça para ser apresentada. Se houver alguém que você gostaria de conhecer numa reunião ou festa, peça a um colega ou ao anfitrião que a apresente.
3. Apresente pessoas que tenham os mesmos interesses ou necessidades. Essa atitude costuma trazer bons retornos quando *você* precisar ser apresentada a alguém.
4. Solicite referências. Se estiver à procura de emprego ou de informações, pergunte a colegas e amigos se conhecem alguém a quem poderiam indicar seu nome.

NOVA CONDUTA

Erro 14

Não entender as necessidades de seu "eleitorado"

A ex-primeira-ministra britânica Margaret Thatcher foi criada por um pai que sempre lhe dizia para pensar com a própria cabeça e não se deixar abalar pela opinião alheia. Ela aprendeu tão bem a lição que isso lhe valeu o apelido de Dama de Ferro. Essa força, no entanto, tornou-se a causa de sua queda quando ela se viu envolvida na controvérsia causada por sua proposta de cobrar imposto dos eleitores. Apesar dos claros sinais de que seus eleitores se opunham fortemente ao imposto, ela respondeu aos assessores que a aconselhavam a reconsiderar sua posição: "Vocês voltem atrás se quiserem. A Dama não foi feita para voltar atrás".

Embora não estejamos na política, todas nós temos "eleitores". São as pessoas que atendemos. Independentemente de atendê-las com produtos ou serviços, precisamos conhecer suas necessidades e expectativas para "agregar valor". Muitas mulheres caem na armadilha de pressupor que sabem o que é melhor para seus "eleitores" e não se dão ao trabalho de fazer as perguntas certas a quem está "na linha de frente".

Veja a história de Marta, consultora técnica de empresas de engenharia. Ela é brilhante e conhece seu trabalho como ninguém. Até mesmo outros consultores procuram seu conselho. Alguns anos atrás, Marta descobriu que seu negócio não havia alcançado o sucesso que pretendia. Quando vendia um projeto a uma empresa, esta não voltava a solicitar seus serviços.

Certo dia um cliente que ficara amigo dela perguntou se aceitaria ouvir algumas opiniões a respeito de seu trabalho. Marta ficou chocada quando ele lhe contou que sua empresa apreciara seus serviços, mas não sua rigidez. Ela acreditava que podia oferecer o melhor aconselhamento possível, pois sempre tinha em mente os interesses dos clientes. Em vez disso, descobriu que sua má vontade para ouvir as necessidades práticas desses mesmos clientes a impedia de agregar valor às empresas que atendia. Era considerada uma pessoa intratável, com a qual se tornava difícil trabalhar.

Foi penoso para Marta ouvir essas palavras, mas ela era inteligente o bastante para entender que a opinião de seu amigo fora uma bênção. Se a empresa dele pensava assim, as outras naturalmente pensavam o mesmo, mas não lhe disseram nada. Como faz a maioria dos clientes insatisfeitos, deixaram de procurar seus serviços. Por essa razão, seu negócio não progredira como ela esperava.

Com uma simples mudança de comportamento, Marta foi capaz de transformar sua situação profissional. Após o diagnóstico inicial das necessidades do cliente e a apresentação de suas idéias e recomendações, ela passou a solicitar a opinião da empresa. Se suas idéias fossem recebidas com ceticismo, ela mudava de tática e procurava fazer perguntas e ouvir opiniões em vez de julgar esse ceticismo mera ignorância do cliente com relação à maneira "certa" de fazer as coisas. Com essa atitude, encontrou muito mais facilidade de "vender" seus projetos. Percebeu que a resistência inicial era quase sempre causada por problemas de comunicação, e uma boa troca de idéias era o melhor antídoto. Descobriu também que, embora alguns clientes discordassem ligeiramente de suas idéias sobre implementação, essa diferença de pontos de vista se revelava um aprendizado para ela, que chegou a aplicar algumas boas idéias dos clientes em outros projetos.

Marta é um ótimo exemplo da mudança de atitude de alguém que antes, consciente da própria inteligência e capacidade, desprezava a opinião das pessoas menos talentosas. A lição que podemos retirar desse caso é: há mais de uma forma de fazer as coisas. É preciso ter cuidado para não ser vítimas de nosso sucesso.

Recomendações

1. Preocupe-se mais em fazer a coisa certa do que em fazer as coisas corretamente. Mudar de idéia diante da evidência dos fatos não é sinal de fraqueza.
2. Procure ter plena consciência das necessidades de seu "eleitorado". Leia com atenção o erro 9 e também o 13, que discutem a importância das redes de relacionamento.
3. Não confunda a compreensão das necessidades de seus "eleitores" com a dependência da opinião deles para tomar uma decisão. A compreensão das necessidades dos outros é informação que você pode ou não usar para tomar decisões de grande impacto positivo para eles.
4. Quando encontrar resistência, evite a ansiedade e não insista em "vender" suas idéias. Essa atitude resulta em polarização e cria situações do tipo ganha-perde. Em vez disso, considere a resistência um sinal de que é melhor mudar de tática e ouvir a opinião das outras pessoas.

NOVA CONDUTA ☐

capítulo 3
Como você age

Na peça *As You Like It*, William Shakespeare nos lembra:

> *O mundo é um palco e todos os homens e mulheres são meros atores. Eles têm suas saídas e sua entradas, e cada homem, em seu momento, representa muitos papéis.*

O sucesso no mundo dos negócios depende de sua habilidade de conhecer seu papel e a maneira de representá-lo. Falar assim talvez dê a impressão de que estou sugerindo a você que seja falsa, uma impostora, mas absolutamente não se trata disso. Assim como os atores e as atrizes são julgados por sua capacidade de interpretação, nós somos avaliadas segundo nossa competência para compreender as nuances do que significa *representar* profissionalmente.

Alguém poderia argumentar que todos os comportamentos descritos em cada capítulo deste livro estão relacionados com a *maneira de agir*. Mas *este* capítulo se destaca nesse aspecto porque focaliza as formas sutis e estereotipadas de comportamento que contribuem para a impressão geral de que as mulheres são menos competentes do que realmente são. Como eu disse antes, um comportamento isolado não representa nenhum sintoma, mas um conjunto deles pode revelar ingenuidade latente, necessidade de aprovação ou falta de autoconfiança.

Erro 15

Pedir a opinião de todo mundo antes de tomar uma decisão

Jennifer era uma auditora de destaque, com MBA concedido por uma importante universidade e mais de cinco anos de experiência na área trabalhando para uma companhia de petróleo. Seu desempenho era considerado excepcional. Quando surgiu na empresa uma oportunidade de promoção, seu nome constava de uma seleta lista de candidatos. Sua reputação, no entanto, era de que não queria ou não era capaz de fazer um só movimento sem antes obter a opinião e o apoio de todos em seu redor. Em conseqüência, seu perfil não coincidia com o de uma pessoa capaz de tomar decisões rápidas e vitais. Promovê-la ao nível de gerência estava, pois, fora de questão.

Dou a essa atitude o nome de dependência. A tomada de decisões com a participação de todos os membros de uma equipe é uma coisa positiva. Mas a incapacidade de agir sem a opinião e a aprovação dos outros não é. Essa é uma técnica que as mulheres usam para evitar futuros problemas. Se obtiverem a aprovação dos componentes de sua equipe, ninguém poderá criticá-las. A linha que separa os dois extremos é tênue: ser uma pessoa considerada independente o bastante para não se preocupar com a opinião alheia ou ser alguém incapaz de tomar as próprias decisões, que não tem autoconfiança para fazer nada sem o apoio externo. O ideal é agir com interdependência, reconhecendo o valor do apoio e das opiniões alternativas.

Recomendações

1. Aceite correr alguns riscos, aja sem antes pedir a opinião de seu superior. Comece tomando pequenas decisões, aquelas que não têm muita importância.
2. Pergunte a si mesma o que tem a perder se atuar com mais independência. Procure investigar o mecanismo interno que a mantém presa à aprovação dos outros. Se o identificar, poderá corrigi-lo.
3. Cuidado para não cair no extremo oposto. Há ocasiões em que é necessário procurar apoio e aprovação, como em circunstâncias que envolvam decisões sérias relacionadas a grandes despesas ou prejuízos potenciais.

NOVA CONDUTA ☐

Erro 16

Ter necessidade de ser querida

"Não posso negar que vocês gostam de mim! Neste exato momento, vocês gostam de mim!" Não há exemplo melhor da necessidade de ser querida que essa frase da atriz Sally Field na cerimônia de entrega do Oscar que ganhou em 1984 por sua interpretação em *Um Lugar no Coração*. Até aquela data, ela já percorrera um longo caminho profissional, em que havia outro Oscar, recebido por seu papel em *Norma Rae*, e também muitas participações em comédias para o cinema e a televisão. A pequena gafe cometida nesse discurso de agradecimento significou um marco em sua vida. Daquele ponto em diante, Sally passou a aceitar papéis mais sérios, encarou o desafio de dirigir e produzir filmes e mudou sua forma de comunicação com o público.

A estima é um fator essencial para o sucesso. As pessoas são promovidas, punidas, contratadas e demitidas com base na estima que conquistam – ou não. Existe dentro de todas nós uma garotinha que precisa ser querida, e não há nada de errado nisso. Os problemas aparecem quando as necessidades dessa garotinha obscurecem a mulher adulta e racional que somos.

O desejo de estima está tão arraigado em algumas pessoas que se torna quase impossível para elas agir de outra maneira. É fundamental saber a diferença entre ser querido e ser respeitado. Se você se preocupa apenas em obter a estima dos outros, muito provavelmente está perdendo a oportunidade de ser respeitada. A necessidade de ser querida a impedirá de correr os riscos assumidos por aqueles que merecem o respeito de seus pares. Por outro lado, se sua única preocupação é obter respeito, e não estima, talvez perca o apoio das pessoas quando mais precisar delas. Por paradoxal que possa parecer, justamente as pessoas queridas *e* respeitadas são as mais bem-sucedidas no campo profissional.

Recomendações

1. Converse consigo mesma para superar a necessidade de ser *sempre* querida por *todos*. Isso é impossível.
2. Investigue a origem da excessiva necessidade de estima. Faça a si mesma perguntas do tipo: "Do que tenho medo se eu for apenas eu mesma? O que pode acontecer?", ou "O que me ensinaram na infância sobre a importância de ser querida?" Isso poderá ajudá-la a identificar as causas dessa necessidade. Se você descobrir as respostas dessas perguntas ou de outras similares, muito provavelmente será capaz de superar seu problema.
3. Busque o equilíbrio entre o atendimento às necessidades dos outros e a atenção às suas necessidades. Antes de concordar com alguma coisa que talvez você não queira, pergunte a si mesma que importância haverá se a outra pessoa ficar um pouco aborrecida.
4. Quando os outros se zangam ou se aborrecem conosco, essa atitude tem geralmente o propósito de nos convencer a fazer o que *eles* querem. Não caia nessa armadilha!

NOVA CONDUTA ☐

Erro 17

Não ter necessidade de ser querida

Não, seus olhos não estão enganando você. Muitas mulheres cometem o erro oposto ao anterior. O receio de receber o rótulo de bajuladoras as leva a tomar atitudes que querem dizer mais ou menos o seguinte: "Não estou aqui para vencer nenhum concurso de popularidade". No entanto, eu afirmo que todas nós precisamos, sim, de popularidade, isto é, ser queridas. A doutora Sharon Mass, diretora do serviço social do Centro Médico Cedars-Sinai, não podia acreditar quando eu lhe disse essas palavras. Depois me deu permissão de usar seu nome e seu caso para exemplificar até que ponto essa atitude pode prejudicar as metas de carreira de alguém.

Sharon tem um grande coração. Ela se preocupa verdadeiramente com as pessoas. Acontece que é também brilhante, a melhor em seu campo. Quando me procurou, seu problema estava no fato de que as pessoas sob seu comando não sabiam de nada disso. Elas a julgavam uma líder rígida e perfeccionista, muito mais concentrada no trabalho a fazer que nas necessidades de seu pessoal. Mas Sharon apenas disfarçava o medo de que, se os outros conhecessem sua índole cheia de calor e empatia, talvez tirassem vantagem dela. Para evitar isso, assumia a atitude oposta. Como ocorre com muitas outras mulheres, ela precisou aprender a permitir que seu lado humano, aquele bem tipicamente feminino, emergisse. Ao mesmo tempo, aprendeu a retirar o máximo proveito de seu estilo mais tipicamente masculino de administração.

Recomendações

1. Corrija a noção de que "familiaridade traz desrespeito". Isso só ocorrerá se *você* permitir.
2. Aprenda a ouvir. Todos precisam desabafar.
3. Leia *Trabalhando com a Inteligência Emocional*, de Daniel Goleman. Embora o primeiro livro de Goleman, *Inteligência Emocional*, contenha uma descrição mais genérica dos fatores não técnicos do sucesso, essa segunda obra aborda de forma mais abrangente o ambiente de trabalho. O autor explica claramente as habilidades necessárias ao sucesso, sua importância e os motivos pelos quais se deve desenvolvê-las.
4. Invista nos bons relacionamentos. Quando precisar de um, será tarde demais para cultivá-lo.

NOVA CONDUTA ☐

Erro 18

Não fazer perguntas por medo de parecer ignorante

Quantas vezes teremos de ouvir a frase "não existem perguntas idiotas" antes de acreditar nisso? O problema é que ainda confiamos no dito popular: "É melhor manter a boca fechada e parecer um idiota do que abri-la e confirmar isso". Eu discordo dessa idéia. Já existem tantas razões para as mulheres permanecerem em silêncio que não precisamos achar mais nenhuma. Fazer uma pergunta oportuna (ao contrário de fazer perguntas quando devemos afirmar alguma coisa, erro que vou comentar mais adiante) para assegurar a compreensão do que está sendo dito é muito mais um sinal de confiança que de ignorância. Quase três décadas de trabalho dentro das mais diversas corporações me ensinaram pelo menos esta lição: se eu não compreender alguma coisa, muito provavelmente ninguém mais a compreenderá.

As mulheres, às vezes, não fazem perguntas para não desperdiçar o tempo da equipe de trabalho. Se você, no entanto, simplesmente se perguntar se sua dúvida não se aplicaria também aos outros, encontrará uma ótima razão para expressá-la. Se sentir que apenas você tem uma dúvida, faça mais tarde a pergunta necessária para esclarecê-la. Mas, se souber que por qualquer motivo não haverá outra oportunidade, faça sua pergunta sem constrangimento. Recomendo apenas que tenha a sensibilidade de entender as necessidades dos outros membros da equipe. Se você já tiver feito várias perguntas, as pessoas demonstrarem impaciência e o tempo da reunião estiver para esgotar-se, seja compreensiva.

Recomendações

1. Se não entender alguma coisa, pergunte. Isso é muito melhor do que executar seu trabalho de forma errada.
2. Observe as outras pessoas durante uma reunião e você vai perceber quando elas estiverem confusas ou não entenderem algum detalhe. Aproveite a oportunidade para ajudar o grupo e pergunte: "Posso ver na expressão de todos que o assunto não ficou totalmente claro. Seria possível repetir ou dar alguns exemplos?"
3. Confie em seus instintos. Se alguma coisa não lhe parece clara, é provável que não esteja mesmo muito clara nem para os outros.
4. Procure obter esclarecimentos. Pergunte, por exemplo: "Eu entendi você corretamente, isto é, temos seis meses para completar a fase 1 do projeto, três meses para concluir a fase 2 e seis meses para a fase 3?" Se estiver enganada, alguém lhe dirá isso. Se estiver certa, obterá a informação que você queria (e é bem provável que os outros também).
5. Se as pessoas a fizerem sentir-se tola ou ignorante por causa de uma pergunta, considere que esse é um problema delas, e não seu. Se tomarem essa atitude com freqüência, pergunte, por sua vez, por que sentem a necessidade de caçoar de você só por ter a coragem de expressar uma dúvida.

NOVA CONDUTA

Erro 19

Agir como os homens

A ênfase desse erro está na *atuação*. Muitas mulheres revelam características tipicamente masculinas no trabalho, e seu comportamento segue essa tendência. Essas mulheres não estão representando, estão apenas sendo fiéis a si mesmas – e isso talvez seja bom para elas. Mas, se você não for desse tipo, não comece a agir assim agora: você jamais conseguirá desempenhar o papel de um homem, assim como não conseguirá desempenhar bem seu papel de mulher. Espero, nesta altura, que você tenha compreendido que este livro trata da obtenção de um arsenal completo de táticas e técnicas coerentes com a atuação de uma mulher, e não com atitudes masculinas.

Você sem dúvida terá problemas se agir como os homens no ambiente de trabalho. Se nós esperamos que os homens ajam à sua maneira, também esperamos isso de uma mulher. Quando as mulheres agem como os homens, cria-se uma espécie de dissonância. Se os comportamentos não atenderem à expectativa, nossa tendência será desconfiar das pessoas ou julgá-las por não desempenhar seu papel de forma adequada. Você precisa desempenhar seu papel conforme as expectativas – enquanto amplia os limites do palco.

Ser diferente dos homens não é algo que deve ser mudado nem escondido. Talvez nos induzam a pensar que existe algo errado em nossa maneira de agir, mas essa é apenas outra armadilha usada para nos manter em nosso lugar. Não se iluda. As mulheres possuem um conjunto próprio de comportamentos muito necessários hoje em dia no ambiente de trabalho, como colaborar em vez de competir, ouvir mais do que falar e fazer uso dos relacionamentos, e não dos músculos, para influenciar pessoas e equipes. Trata-se apenas de uma questão de equilíbrio: assim como os homens às vezes abusam de suas características, as mulheres estão sujeitas ao mesmo erro.

Existe uma circunstância, porém, à qual devemos estar atentas – as regras de comportamento variam, conforme a cultura organizacional, para homens e mulheres. Uma das empresas com que trabalho tem regras muito sólidas segundo as quais as mulheres e os homens devem agir sempre como verdadeiras damas e legítimos cavalheiros. Descobri isso quando aconselhei uma de suas funcionárias a falar um pouco mais alto e mostrar-se mais incisiva na defesa de suas idéias se quisesse ser levada a sério. Ela me respondeu – e suas colegas confirmaram – que o presidente da companhia não apreciava mulheres agressivas e ela perderia o emprego se agisse de forma diferente.

Essa moça não teve problemas em acatar essa diretriz porque se harmonizava com sua personalidade. Mas, se ela se transferisse para outra organização cujas regras estimulassem a agressividade em *todos* os funcionários, certamente seu comportamento não se adaptaria a esse clima e sua carreira não seria tão bem-sucedida. Ela precisaria então decidir entre o esforço para desenvolver novas habilidades e a procura de trabalho em outra empresa cujas normas de comportamento fossem coerentes com sua inclinação natural. Na maior parte das organizações, entretanto, as regras são mais sutis, menos explícitas, e as mulheres devem encontrar formas de expandir seus limites sem chamar negativamente a atenção.

Recomendações

1. Continue a investigar seu estilo de trabalhar, o que ajuda e o que atrapalha você, bem como as maneiras possíveis de complementar seus pontos fortes com novos comportamentos. Você pode conseguir isso solicitando *feedback* de seus colegas, gravando uma reunião ou apresentação da qual participe ou freqüentando um *workshop* de desenvolvimento pessoal.
2. Se você tem a tendência de ser agressiva e isso não a está ajudando, será necessário decidir o que é mais importante: desenvolver sua carreira ou desafiar o sistema. Ouço muitas queixas de minhas clientes com relação a essa dicotomia, mas, feliz ou infelizmente, ela é real.
3. Modifique as regras para que atendam a suas necessidades e também às expectativas dos outros. Socar a mesa e falar em voz alta talvez não sejam atitudes aceitáveis, mas ser persistente (dizendo e repetindo sempre a mesma coisa com palavras diferentes) pode ter efeito muito melhor.
4. Tenha consciência do fato de que regras e expectativas de comportamento variam conforme a cultura das organizações. O que é bom para uma delas talvez seja péssimo para outra. Observe com cuidado a cultura da empresa em que trabalha e adapte seu estilo às regras vigentes. Se não conseguir aceitar essas regras, o melhor a fazer será procurar outro ambiente de trabalho que se harmonize com seu estilo natural.

NOVA CONDUTA ______

Erro 20

Dizer toda a verdade e nada mais que a verdade (*que Deus ajude você!*)

Por que as mulheres, mais que os homens, sentem a necessidade de revelar a verdade a respeito de si mesmas ainda que isso as deprecie ou prejudique? Numa pesquisa feita algum tempo atrás, homens e mulheres tinham de descrever a si próprios. Os homens, sem se importar com a aparência, descreveram-se em termos concretos e positivos (ou pelo menos neutros). "Tenho 1,80 metro de altura, cabelos castanhos, 90 quilos e uso bigode", declarou um homem corpulento de meia-idade. Certo, e eu sou Julia Roberts. As mulheres quase sempre empregaram frases mais pejorativas, tais como: "Meus cabelos estão grisalhos, eu bem poderia perder alguns quilos, mas minha aparência não é *tão* má".

Acontece o mesmo quando se pede a uma mulher que descreva um projeto no qual algum detalhe não deu certo. Ela culpa a si própria e aponta todas as coisas que poderia ter feito melhor. E os homens, o que fazem? Mostram-se mais uma vez objetivos e isentos de culpa em sua descrição. Um deles, acusado de ter elaborado um método ruim, alegou: "O problema não está no método, e sim no fato de que ele não reflete a realidade do processo". E *quem* concebeu o tal método?

Anne Mulcahy, presidente do conselho da Xerox, descobriu da maneira mais dura que a atitude de dizer a verdade cristalina pode causar problemas muito sérios. Durante uma conferência de investidores realizada no início de sua gestão, revelou ao mundo que a companhia tinha "um modelo de negócios insustentável". No dia seguinte, as ações da Xerox perderam 26% de seu valor. Anne julgara que, se não era segredo que a empresa estava perdendo dinheiro, o fato de que seu modelo de negócios era inadequado se tornava óbvio. "Quando me recordo disso", declarou mais tarde, "compreendo que deveria ter dito que a companhia reconhecia ser preciso fazer mudanças em seu modelo de negócios." Hoje ela aconselha as pessoas a permanecer fiéis à verdade, mas antes "devem assegurar-se de que suas palavras não poderão ser usadas fora do contexto".

Acho que Anne ainda não aprendeu a arte de descrever uma situação de maneira favorável. Dizer a verdade não significa colocar-se sob uma perspectiva negativa. A verdade requer apenas uma descrição honesta e objetiva dos fatos – sem culpa nem autopunição.

Recomendações

1. Ouça com atenção as perguntas que lhe fazem e responda-as de maneira simples e objetiva. Uma pergunta do tipo "por que o projeto não foi concluído no prazo?" não significa que a pessoa espera que você acuse a si mesma. É bem provável haver boas razões que expliquem o atraso do projeto, e é *isso* que você deve oferecer como resposta. Uma resposta honesta, e adequada, seria: "Há duas razões principais. Em primeiro lugar, não tínhamos o pessoal necessário para concluir o projeto num prazo tão curto. Segundo, as informações indispensáveis para completar o projeto só ficaram disponíveis dois dias antes do término do prazo".
2. Mesmo que você assuma a responsabilidade por um erro, não piore as coisas tentando "maquiá-lo". Evite a tendência de concordar sempre ou de explicar tudo e, seja qual for sua atitude, não se constranja por causa disso. *Todos* cometem erros. Dê respostas neutras em vez de explicações e desculpas. Diga, por exemplo: "Entendo o que você quer dizer e terei isso em mente no futuro". Dessa forma, você não concorda nem discorda, apenas demonstra reconhecer a situação.
3. Contraponha um aspecto positivo a cada ponto negativo. Isso significa ter uma perspectiva favorável dos fatos.

Mude isto:	**Para isto:**
"Devo admitir que o trabalho seria melhor se eu tivesse respeitado o orçamento."	"Embora não conseguíssemos cumprir o orçamento, terminamos o projeto antes do prazo."
"Eu deveria ter pesquisado mais antes de escolher e contratar esse candidato."	"Embora o escolhido não sirva para o cargo, aprendemos com a experiência."
"Não sou a pessoa indicada para esse cargo. Não tenho as qualificações necessárias."	"Não tenho *todas* as qualificações necessárias, mas minha experiência me recomenda para o cargo."

NOVA CONDUTA

Erro 21

Falar muito de coisas pessoais

Esse erro é, na verdade, uma extensão da honestidade excessiva abordada no tópico anterior. A cliente que comentou esse assunto comigo tem cargo de gerente e notou que as mulheres de sua equipe tinham uma tendência muito maior que os homens de comentar complicadas situações pessoais que poderiam ser usadas contra elas. Deu-me o exemplo de uma de suas funcionárias, que apresentava problemas de desempenho. No encontro individual que tivemos, a moça caiu em prantos e contou-me uma longa história sobre a doença de sua mãe, que estava morrendo, e também o fato de que as irmãs não podiam assumir a responsabilidade de cuidar dela. Com o marido desempregado, ela precisara arcar com todo o tratamento e também com as decisões relativas à doença da mãe.

Todos esses detalhes são relevantes? Sim, mas não deixam de extrapolar o que sua chefe precisava saber, pois passaram a impressão de que ela não sabia lidar bem com situações estressantes. Quando surgiu um projeto que poderia tornar-se desgastante, a gerente não quis assumir o risco de confiá-lo a essa funcionária. Falar de assuntos pessoais não é, em si mesmo, um problema. As conseqüências se manifestam quando falamos *demais* de nossa vida pessoal.

Recomendações

1. Escolha com cuidado os assuntos pessoais que deseja contar, assim como as pessoas a quem vai confiá-los.
2. Se você ocupa um cargo de chefia, seja ainda mais cuidadosa. A regra básica que posso recomendar é a seguinte: *seja a melhor amiga de seus funcionários, mas não espere nem por um minuto que eles se tornem seus melhores amigos.*
3. Tenha você ou não um cargo de chefia, não evite inteiramente conversas pessoais. Já vi mulheres que fizeram isso e se "queimaram". Essa atitude causa uma impressão de mistério e desonestidade. As conversas adequadas sobre assuntos pessoais permitem que os outros vejam seu lado humano e, portanto, facilitam o estabelecimento de boas relações.
4. Quando um problema pessoal influenciar negativamente seu desempenho no trabalho, seja honesta, mas também breve. Basta dizer: "Estou atravessando uma crise pessoal muito dura, mas o emprego é importante para mim. Vou prestar mais atenção nos detalhes".

NOVA CONDUTA ☐

Erro 22

Ter sempre medo de ofender os outros

Tenho observado um fenômeno interessante: quando um homem toma atitudes controvertidas ou expressa um ponto de vista diferente, nem os homens nem as mulheres se sentem ofendidos por isso. Talvez se zanguem ou se aborreçam, mas raramente o acusam de comportamentos inconvenientes. Já as mulheres tendem a aceitar a opinião geral mesmo que não concordem com ela, o que as impede de defender seus pontos de vista verdadeiros – e a causa dessa atitude é a resistência (e muitas vezes a censura) que encontram por adotar comportamentos "masculinos".

Essa não passa de mais uma das armadilhas preparadas para nós – e inconscientemente caímos nela mais de uma vez. Se alguém se ofender diante de um pedido ou de um comentário justo feito por você, a mensagem implícita será sempre a mesma: você agiu de maneira inadequada ou cometeu um erro. O resultado também é sempre o mesmo: você se retrai. Se essa retração for freqüente, abrirá aos outros a chance de apelar para a ofensa como meio de defesa. Esse círculo vicioso torna-se então uma armadilha fatal para sua carreira.

Karl Marx usou o termo *mistificação* para se referir ao processo pelo qual os detentores do poder negavam a existência de problemas entre as classes sociais – e depois negavam que haviam negado o fato. Aqui está um exemplo dessa atitude no ambiente de trabalho:

Funcionária: Faz dois anos que não recebo aumento de salário e gostaria de dizer por que acredito merecer isso agora.

Gerente de RH: Você me acusa de negligenciar seu bem-estar?

Funcionária: Não, eu não o acuso de nada, quero apenas falar com você sobre um aumento.

Gerente de RH: Bom, é evidente que você vê nisso um problema.

Funcionária: Acho mesmo que há um problema no fato de passar dois anos sem receber aumento, mas não culpo você por isso.

Gerente de RH: Temos um sistema nesta empresa que assegura um tratamento justo a todos os empregados.

Funcionária: Mas, se eu não recebi aumento, esse sistema não funciona. Não acredito que você veja a questão sob essa perspectiva.

Percebeu o estratagema? Esse é um método indireto e malicioso que não resolve totalmente o problema e faz com que as mulheres se retraiam ou as impede de tentar novamente a abordagem de um assunto delicado por medo de ofender alguém.

Recomendações

1. Use o método DESCript (veja o erro 68) e prepare-se para enfrentar conversas difíceis.
2. Leia o livro *Conversas Difíceis*, de Douglas Stone, Sheila Heen e Bruce Patton. Se você evita confrontos por receio de ferir os sentimentos alheios, encontrará ótimas sugestões sobre a maneira de dizer o que deve ser dito sem correr o risco de prejudicar um bom relacionamento.
3. Quando expressar um ponto de vista diferente ou controvertido, aplique a técnica de contrastar o que você quer com o que não quer. Diga, por exemplo: “Não desejo dar a impressão de não ter ouvido o que você disse, pois eu ouvi, mas quero muito demonstrar uma forma diferente de analisar a situação”.
4. Demonstre aos outros que é difícil para você dizer o que precisa dizer. Comece a frase desta maneira: “Para mim é difícil dizer isso, mas desejo que você conheça meu ponto de vista”. Esse recurso tornará as pessoas mais pacientes para ouvi-la.
5. Se você se expressou de forma adequada, mas mesmo assim a pessoa se ofendeu, não se justifique. Em vez disso, mostre respeito pelos seus sentimentos e disponha-se a ouvir as razões de seu interlocutor. Evite a tendência de disfarçar e negar o que realmente sente.

NOVA CONDUTA ☐

Erro 23

Negar a importância do dinheiro

Conheço todas as estatísticas sobre as disparidades existentes entre os salários e os benefícios pagos aos homens e às mulheres. Você provavelmente também as conhece. Não vejo necessidade de realçar o sentido desses fatores tão reais e relevantes. A questão é: *o que fazer para resolver o problema?*

Dinheiro é poder, e poder é uma coisa que as mulheres interpretam mal e evitam. Pergunte a uma mulher se ela tem poder e ouvirá cinco razões que justificam uma resposta negativa. Essa reação significa desconforto nas questões que envolvem dinheiro e a crença de que na verdade ela merece menos do que lhe é devido. Pior ainda: ela não dá importância ao dinheiro exceto pelo fato de que serve para pagar suas contas.

Tenho uma amiga que sempre brinca comigo e pergunta o que estamos fazendo de errado quando ouvimos falar de pessoas que recebem salários exorbitantes ou gastam enormes quantias em compras extravagantes. Como escolhemos uma profissão voltada para o ser humano (ela também é psicoterapeuta), sabemos que nosso foco, ao longo da carreira, não se restringe a dinheiro. Embora eu me sinta muito satisfeita por trabalhar no campo de que mais gosto e fazer a diferença, a vocação e um bom meio de ganhar a vida não deveriam ser mutuamente excludentes.

A verdade é que você consegue as coisas nas quais concentra seus esforços e suas energias. Se seu salário não for justo e você não receber os aumentos que merece, está na hora de se concentrar mais no fator dinheiro. Não quero dizer com isso que deva comprometer-se menos com seu trabalho, e sim que é preciso comprometer-se igualmente com seu bem-estar e com o de sua família.

Recomendações

1. Se você acha que está ganhando pouco, faça uma pesquisa dos níveis salariais relativos a seu cargo. Você pode fazer isso pela internet, com a ajuda de uma associação profissional ou de um sindicato ou ainda perguntando a amigos de confiança que trabalham em outras empresas qual é sua média salarial (não pergunte diretamente quanto eles ganham). Tenha em mente que os salários variam conforme a região e a área de atuação.
2. Se constatar que de fato seu salário está abaixo da média, lance mão da lógica e dos fatos para demonstrar que você deve receber um aumento. Peça a uma amiga que a ajude a "ensaiar" as palavras certas.
3. Faça a assinatura de uma revista especializada em finanças e carreiras – e leia.
4. Supere a idéia errônea de que falar em dinheiro é uma atitude grosseira e inconveniente.
5. Comece um clube feminino de investimentos ou associe-se a um em funcionamento.

NOVA CONDUTA ☐

Erro 24

Flertar

Quantas mulheres, com certeza milhares delas, encontraram o homem de seus sonhos no ambiente de trabalho, namoraram e se casaram? Isso acontece todos os dias, é uma circunstância agradável, mas potencialmente perigosa. A manchete da edição de 27 de setembro de 1998 do jornal *Seattle Times* estampava: "Sexo no trabalho raramente põe os chefões no olho da rua". Mas o que acontece se você não for "o chefão"?

Certa vez eu atendi uma cliente que, segundo a opinião de todos, mantinha um caso amoroso com o gerente de seu departamento. Se havia ou não verdade no falatório, ninguém poderia afirmar, mas o problema não era esse. O comportamento dela com relação ao gerente induzia os outros a acreditar que existia mesmo alguma coisa entre os dois – e percepção, você sabe, é realidade. O flerte, que levantava as suspeitas dos colegas, tomava a forma de risos exagerados diante das péssimas piadas do gerente. Além disso, ela se oferecia para despistar os vendedores, apoiava seus pontos de vista nas reuniões mesmo que ninguém concordasse com eles e o convidava para almoçar pelo menos uma vez por semana (enquanto a maior parte dos outros funcionários – homens ou mulheres – trabalhava durante o horário de almoço).

"Que mal há num flerte sem importância?", você talvez pergunte. Sabemos que muitos casais se conheceram no trabalho. O problema está no fato de que só as mulheres que flertam, e não os homens, se tornam o alvo das piadas dos colegas e sofrem as eventuais conseqüências do "romance". No caso que acabo de mencionar, as pessoas isolaram minha cliente e não lhe comunicavam os boatos (uma importante fonte de informações, como todas sabemos) nem permitiam que participasse de suas conversas e discussões com medo de que ela contasse tudo ao gerente. Os colegas perderam a confiança nela, e a moça, por sua vez, não teve mais condições de executar seu trabalho com competência.

Outra cliente recebeu um *feedback* de uma avaliação 360 graus em que os colegas a acusavam de flertar demais. Ela ficou chocada, pois não sabia explicar por que os outros interpretavam suas atitudes dessa maneira. Certo dia, quando a observei em companhia de seu chefe durante o almoço, entendi perfeitamente a razão do equívoco. Enquanto conversava, ela mantinha uma postura confidencial, sorria e inclinava a cabeça na direção do chefe. Parecia um flerte, mas na verdade, na condição de descendente de uma tradicional família irlandesa, a moça fora ensinada a comportar-se com submissão diante dos homens. Sua forma de demonstrar respeito a eles – quer em reuniões, quer em conversas – era se mostrar submissa em ações e palavras.

Recomendações

1. Não flerte abertamente com seus colegas. Olhares prolongados, murmúrios e risos sem propósito não devem fazer parte do ambiente de trabalho.
2. Caso você esteja *realmente* namorando um colega, seja discreta. Mantenha suas relações pessoais com ele fora do ambiente e das atividades de trabalho.
3. Não seja ingênua a ponto de acreditar que pode manter seu namoro em segredo por muito tempo. Não há nada errado no fato de namorar um colega, portanto não tente esconder isso.
4. Quando você se envolve emocionalmente com seu chefe (ou, caso a chefe seja você, com um funcionário seu), está brincando com fogo. Considere seriamente os riscos pessoais e profissionais envolvidos nessa situação e, se necessário, não hesite em recorrer a aconselhamento externo.

NOVA CONDUTA ☐

Erro 25

Intimidar-se diante dos briguentos

Não enfrento pessoas briguentas com freqüência. A maioria dos colaboradores das empresas com as quais trabalho sabe expressar-se com moderação e diplomacia, procurando resolver problemas em vez de criá-los. Essa não foi, no entanto, a atitude de um vice-presidente durante uma reunião. Ele estava muito zangado com o fato de determinado serviço ter sido cobrado duas vezes. Nenhuma das técnicas que uso para contornar situações difíceis deu certo. Lancei mão de todos os recursos, mas nada adiantou. Finalmente, eu disse: "Não estou habituada a ser atacada pessoalmente". Outra pessoa presente na reunião tentou intervir: "Acho que você está tomando uma atitude defensiva". Repliquei com calma: "Quando sou atacada pessoalmente, eu me defendo". Após a reunião, essa mesma pessoa comentou que eu poderia ter reagido de forma diferente. Minha resposta foi: "O homem é um briguento, e eu quis mostrar a ele que não me intimido facilmente".

Quando somos vítimas de um briguento, temos duas reações possíveis: contra-atacamos ou nos intimidamos. Nenhuma das duas resolve a situação. Se demonstrar como se sente, você dará à pessoa a chance de mudar de comportamento. Isso jamais ocorrerá se você se intimidar ou devolver a agressão. Mesmo que não haja mudança de comportamento, você mostrará à pessoa que não vai tolerar sua raiva e assim manterá o auto-respeito. A propósito, a situação se modificou depois de minha reação diante do vice-presidente briguento e foi possível encontrar uma solução que atendesse a suas necessidades.

Recomendações

1. Use as técnicas de ouvir e demonstrar seus sentimentos como tentativa de acalmar um briguento. Elas funcionam na maior parte das situações.
2. Não se renda quando alguém tentar intimidar você. Essa é uma tática empregada para impor pontos de vista. Identifique seus sentimentos e expresse-os por meio da palavra *eu*. Em vez de dizer "você não está me ouvindo", prefira a frase "eu sinto que não estou sendo ouvida". Essa é uma atitude menos agressiva. Além disso, ninguém pode discutir seus sentimentos.
3. Mude o foco da discussão, numa tentativa de resolver o problema, prestando atenção no que a pessoa diz e perguntando a ela o que gostaria de fazer. Diga: "Compreendo sua frustração com o atraso da entrega das mercadorias, mas vamos conversar sobre a melhor maneira de corrigir essa falha".
4. Evite a tendência de pedir desculpas. Se as desculpas forem apropriadas, você sempre poderá apresentá-las depois. Pedir desculpas a um briguento só alimenta a fogueira e reforça a idéia de que você é uma de suas "vítimas".

NOVA CONDUTA ☐

Erro 26

Decorar o escritório como se fosse sua casa

O escritório é uma extensão de nossa casa. Passamos mais tempo nele que em nossa sala de estar. Isso não significa, no entanto, que o escritório deva ter a aparência de nosso *living*. As mulheres apreciam, muito mais que os homens, os detalhes estéticos de decoração e gostam de criar um ambiente de trabalho confortável e acolhedor não só para si mesmas como também para as pessoas em redor.

Tenho visitado escritórios de mulheres que modificaram radicalmente seus ambientes, trocando o estilo de iluminação, o estofamento de sofás e poltronas e até mesmo colocando sobre os móveis os mais variados objetos de decoração, isso sem falar nas almofadas espalhadas por todos os cantos. Isso pode trabalhar em seu favor ou contra você, dependendo da imagem que quiser passar. Não recomendo tantas mudanças no ambiente de trabalho da maioria das mulheres. Elas são mais adequadas para consultoras e profissionais liberais.

No outro extremo há o exemplo de Christine, médica de um hospital, que não tinha *nada* em suas paredes. Em nosso primeiro encontro, fiquei chocada com a frieza e a austeridade de seu ambiente de trabalho. Quando pude conhecê-la melhor e ouvir a opinião de seu pessoal, compreendi que esse ambiente era apenas o reflexo de sua personalidade. Uma das sugestões que dei a ela foi dispor fotos da família e alguns objetos decorativos sobre os móveis para humanizar e dar um pouco de calor a sua sala.

Sim, seu escritório ou sua mesa de trabalho são um reflexo de sua personalidade e daquilo que é importante para você. No entanto, a não ser que trabalhe com decoração, não exagere. A ênfase em sua feminilidade reduz sua credibilidade.

Recomendações

1. A decoração de seu escritório deve ser coerente com o tipo de organização em que você trabalha. Numa empresa conservadora, é recomendável escolher objetos, cores e mobiliário de estilo clássico e discreto. Outras mais criativas podem admitir inovações.
2. Já que o espaço de trabalho é o reflexo de sua personalidade, fique atenta à decoração. Na maior parte dos casos não é você que escolhe os móveis, mas os detalhes ficam por sua conta. Prefira acessórios que combinem com você sem, contudo, enfatizar demais sua feminilidade.
3. Se isso combinar com seu estilo, exiba fotos de sua família, colocando-as onde as pessoas possam vê-las. Elas humanizam o ambiente e são ótimas para iniciar uma conversa. Conheço uma mulher solteira que mantém uma foto de seu cão sobre a mesa de trabalho.
4. Analise seu escritório com olhos críticos. Se estivesse esperando uma visita muito especial, o que mudaria? Por quê? Que adjetivos usaria para descrever sua sala se não soubesse quem trabalha ali? Deseja que os outros escolham os mesmos adjetivos para descrever você?
5. Mantenha seu espaço de trabalho limpo e arrumado. Isso demonstra que você é organizada e sabe manter as coisas sob controle.

NOVA CONDUTA ☐

Erro 27

Alimentar os outros

Não deve haver alimentos em sua mesa de trabalho – nem biscoitos feitos em casa nem balas e chocolates. Hillary Clinton pode ter sido criticada porque declarou que não fica em casa fazendo biscoitos, mas seu ponto de vista foi muito claro. Não costumamos atribuir poder nem importância às pessoas que alimentam os colegas. Talvez esse seja um detalhe inconseqüente, mas o fato é que raramente encontramos alimentos na mesa de trabalho dos homens.

O ato de alimentar equivale ao ato de cuidar, e esse é *definitivamente* um atributo típico das mulheres. Além disso, a existência de alimentos na mesa de trabalho é sempre um convite a uma pausa e um pouco de conversa (as pessoas não "comem e saem correndo"). Esses dois fatores, combinados, enfatizam demais algumas qualidades tipicamente femininas.

Existem exceções em todas as regras, e quero falar agora de uma delas. Lise Dewey, gerente de treinamento e desenvolvimento, contou-me que muitas vezes sugere que seus funcionários (geralmente do sexo masculino) com fama de ser bruscos demais, dominadores ou muito críticos mantenham um pote de balas sobre sua mesa de trabalho. A razão disso é óbvia: ela deseja "aquecer" a imagem deles e equilibrar suas atitudes mais agressivas.

A própria Lise tem em sua mesa um grande pote sempre cheio de balas – em parte porque ela própria gosta de comê-las (ninguém imaginaria isso por sua silhueta delicada) e em parte porque, devido a sua posição, muita gente a procura para falar de assuntos confidenciais. As balas têm a finalidade de deixar as pessoas mais à vontade.

Evite levar alimentos para o escritório se não quiser que a julguem "demasiadamente feminina". Esse cuidado torna-se ainda mais importante caso você cometa muitos outros erros descritos neste livro. Como sempre, os comestíveis isolados não constituem problema, é a combinação de determinados erros que reduz sua credibilidade.

Recomendação

1. Não alimente seus colegas de trabalho, a menos que essa atitude seja uma estratégia consciente para alcançar algum objetivo.

NOVA CONDUTA ☐

Erro 28

Ter um aperto de mão frouxo

As mulheres não são as únicas a fazer isso, mas nós, com freqüência, hesitamos ao estender a mão para cumprimentar alguém. Devido ao medo que sentimos de parecer muito masculinas, caímos no extremo oposto e nosso aperto de mão se torna delicado demais, para não dizer frouxo. O aperto de mão é a primeira impressão que passamos quando conhecemos alguém. Ele revela alguma coisa sobre nós antes mesmo de abrirmos a boca. Embora você evite o estilo "quebra-ossos" quando cumprimenta as pessoas, certamente deseja que seu aperto de mão passe a mensagem de que *deve ser levada a sério.* Um aperto de mão franco, um breve cumprimento ("Tenho o grande prazer de finalmente conhecer você", por exemplo) e um olhar firme causarão um ótimo efeito.

Recomendações

1. Pratique um bom aperto de mão com amigos ou colegas de ambos os sexos. Peça a opinião deles: seu aperto de mão é muito frouxo ou muito forte? Você pode apertar a mão dos homens e das mulheres de forma diferente. Continue praticando até que todos lhe digam que seu aperto de mão passa a mensagem que você quer transmitir.
2. Esta é a sugestão que o pai de um colega lhe fez quando era ainda um garoto: estenda a mão até que os polegares de ambas as pessoas se enganchem (experimente e veja como funciona). Não estenda apenas os outros dedos. A propósito, quantos pais ensinaram suas filhas a dar um bom aperto de mão?
3. Quando for apresentada a uma pessoa, estenda sua mão caso ela não o faça. Essa é uma demonstração de confiança.
4. Talvez haja situações em que você queira transmitir sinceridade e entusiasmo. Isso pode ocorrer, por exemplo, quando você finalmente é apresentada a alguém com quem falou apenas por telefone durante algum tempo. Para conseguir esse efeito, pouse a mão esquerda sobre a mão direita da pessoa enquanto se cumprimentam.
5. Já que falamos em apertos de mão, podemos estender o assunto: é ou não adequado cumprimentar alguém com um abraço no ambiente de trabalho? Esse é um terreno perigoso. Meu conselho é nunca abraçar as pessoas, a menos que o gesto venha delas. Não se trata apenas da questão de invadir o espaço da outra pessoa – um abraço rompe a formalidade do cumprimento.

NOVA CONDUTA

Erro 29

Ser financeiramente insegura

A escritora inglesa Virginia Woolf disse que toda mulher precisa ter um quarto só seu. Há outras mulheres que afirmam que ter uma conta bancária só sua é ainda mais importante. Se você for dependente de seu marido, seu companheiro ou seu empregador, saiba que a dependência financeira significa perda de escolhas profissionais e de poder. A falta de dinheiro, de estabilidade financeira ou de preparação adequada para o futuro equivale à perda da liberdade.

Mas por que esse seria um erro tão prejudicial à carreira? Porque, sem estabilidade financeira, é provável que você tome atitudes e decisões contrárias a seus interesses profissionais. As mulheres geralmente permanecem em empregos ruins e são forçadas a trabalhar além da época da aposentadoria porque não podem se dar ao luxo de parar. Elas também evitam tomar decisões difíceis, embora necessárias, porque têm medo de perder o emprego. Além disso, quase sempre estão despreparadas para entender as implicações financeiras de certas decisões de negócios por não prestar a devida atenção às próprias finanças – assunto que *deveriam* aprender para aplicar os conhecimentos adquiridos nos negócios.

As mulheres são, muitas vezes, forçadas a retomar a vida profissional após um longo afastamento, portanto mal preparadas, porque antes eram dependentes de alguém que não pode ou não quer continuar a sustentá-las. Eu sei que a condição de donas-de-casa ensina às mulheres muitas habilidades diretamente aplicáveis à vida profissional, mas tente convencer os empregadores disso. Em conseqüência, o retorno ou a entrada tardia na força de trabalho representa desvantagem com relação à carreira e salários abaixo da média.

Esse é o caso de Carla. Ela trabalhou a vida toda na mesma empresa, e trabalhou muito. Era solteira e não tinha filhos. Embora morasse em casa própria, aos 62 anos ainda não tinha o suficiente para aposentar-se.

Quando a empresa foi vendida, os antigos gestores, que conheciam e respeitavam o trabalho de Carla, receberam gordas indenizações pelo afastamento. Ela, no entanto, cuja posição não era bastante alta, não teve o mesmo benefício.

Com a posse dos novos gestores, Carla descobriu que as habilidades que adquirira ao longo dos anos de trabalho não eram suficientes para manter o nível salarial. Os novos donos da empresa não pretendiam contratar outra pessoa para exercer a função de Carla em troca de um salário menor. Eles queriam, isso sim, um colaborador que correspondesse às expectativas. Com sua idade e seu salário, Carla não tinha muitas opções. Viu-se forçada a permanecer na companhia, onde seu trabalho já não era respeitado, e teve de aceitar tarefas muito abaixo de suas qualificações, tudo porque não fizera um planejamento financeiro adequado para o futuro.

Recomendações

1. Procure informar-se sobre administração de finanças pessoais. Há vários livros e artigos em revistas sobre o tema.
2. Escolha um bom consultor que a ajude a elaborar um sólido planejamento de independência financeira.
3. Adote o hábito de poupar o máximo que puder todos os meses. E invista seu dinheiro.
4. Acostume-se a guardar o troco de suas compras diárias num pote ou em outro recipiente. Quando o pote estiver cheio, deposite o dinheiro em sua conta de poupança.
5. Abra uma conta de previdência privada e deposite anualmente a maior soma de dinheiro que puder. Se você já passou dos 40 anos, estabeleça um plano para aumentar esses depósitos.

NOVA CONDUTA ☐

Erro 30

Ser solícita demais

Chris foi recentemente promovida a uma função de gerência e se orgulha do fato de não pedir a seus funcionários nada que ela mesma não faria. Certa ocasião, enquanto sua equipe trabalhava num projeto, subdividida em pequenos grupos, e ela percorria a sala para dar assistência aos participantes, um deles lhe pediu que trouxesse café. Não vendo nisso um problema, Chris o atendeu. Em seguida, outros funcionários solicitaram que tirasse cópias de alguns papéis, e ela outra vez os atendeu. Finalmente, pediram-lhe para trazer canetas e marcadores novos.

À primeira vista, não parece haver problemas nessa situação, mas um exame mais minucioso revela as razões por que alguns membros da equipe de Chris perdem os prazos com freqüência e ignoram seus pedidos de informação. Devido ao desejo dela de ajudar a equipe, seus funcionários passaram a vê-la como igual. Enquanto Chris perdia tempo prestando pequenos favores, alguns de seus comandados exerciam a liderança necessária à equipe.

Uma pesquisa realizada no início dos anos 1980 entrevistou 135 mulheres com o objetivo de determinar, entre outras coisas, as formas pelas quais elas conquistam reconhecimento. Os pesquisadores ouviram de muitas das entrevistadas a afirmação de que o fato de prestar ajuda – dando assistência, ouvindo ou ensinando – na verdade lhes proporcionava maior autoconhecimento e autoconfiança. Por quê? Porque as mulheres são induzidas a acreditar, desde muito jovens, que as outras pessoas sabem mais do que elas, portanto devem obter *externamente* o conhecimento e a autoconfiança. A solidariedade torna-se, assim, uma fonte de autovalorização, o que explica por que tantas mulheres escolhem profissões da área de humanas.

Embora eu acredite firmemente na filosofia da liderança solidária, muitas mulheres levam essa atitude a extremos e enfrentam problemas semelhantes aos de Chris quando exercem cargos de comando. Não conseguem executar com êxito a transição entre *fazer* e *liderar*. Se você estiver ocupada demais em *fazer*, não terá condições de oferecer a visão, a orientação, o suporte técnico nem a experiência que constituem as características de uma liderança verdadeira.

Recomendações

1. Não confunda *ajudar* com *ser usada*. Ajudar significa providenciar os recursos e o apoio necessários à execução de um trabalho criterioso e eficiente feito por outras pessoas. Mas, se você trabalhar mais que todos os membros de sua equipe, isso significa que está sendo usada.
2. Em vez de fazer o trabalho de outra pessoa, ensine a ela a melhor forma de executá-lo. Mesmo que isso exija mais tempo no curto prazo, renderá bons dividendos a longo prazo.
3. Pergunte a si mesma se ajuda as pessoas porque deseja que gostem de você ou porque realmente quer ajudá-las.

NOVA CONDUTA ☐

capítulo 4

Como você pensa

Mudar a maneira de *pensar* sobre a forma como trabalhamos é essencial para corrigir comportamentos prejudiciais. A maioria das pessoas tem algumas noções daquilo que deve fazer, pois trará reconhecimento, e daquilo que deve evitar se não quiser o efeito contrário. Esse é o chamado *comportamento supersticioso*, pois passamos a acreditar que, se fugirmos dele, alguma coisa catastrófica acontecerá. "Só serei recompensada se trabalhar mais que todos os outros" e "Meu chefe me demitiria se eu dissesse o que realmente penso" são exemplos de pensamentos supersticiosos.

Tais pensamentos com freqüência têm como base mensagens relativas ao trabalho, recebidas de nossos pais, que podem ter sido verdadeiras para eles, mas já não são válidas para nós. Certos comportamentos supersticiosos, por outro lado, talvez tenham sido eficientes no início de nossa carreira, mas agora não se justificam mais. O que fazíamos quando começamos a trabalhar para obter respeito e atenção estava muito mais relacionado ao cumprimento das tarefas do momento do que à demonstração de capacidade de liderança, de habilidades de relacionamento e assim por diante. É, portanto, difícil abandonar essas crenças porque deram certo – até agora.

Um dos aspectos mais complexos do trabalho de *coaching* é conseguir que as pessoas tentem adotar novos comportamentos. Mudar de comportamento é como abandonar um velho par de tênis: são confortáveis, já tomaram a forma de seus pés e você sabe exatamente como se sente quando os calça. Eram ótimos três anos atrás, mas agora não dá mais para sair com eles. Este capítulo aborda algumas das crenças e certos comportamentos que talvez estejam consolidados desde o início de sua vida profissional, mas agora devem ser "aposentados" – antes que isso aconteça a você.

Erro 31

Fazer milagres

Pense nisto com lógica e pergunte a si mesma: as pessoas que trabalham ao seu lado e obtêm promoções e reconhecimento são as que fazem milagres? As mulheres costumam sentir orgulho do fato de conseguir fazer mais com menos, cumprir prazos impossíveis e "tirar leite de pedra". Acreditam sinceramente que os outros vão reconhecer e apreciar seus esforços, mas não percebem que toda vez que "fazem um milagre" as expectativas existentes a seu respeito aumentam ainda mais. Além disso, enquanto elas estão ocupadas na realização desses "milagres", seus colegas homens fazem coisas que lhes dão mais visibilidade e, principalmente, mais recompensas.

Vamos examinar o caso de Anita, por exemplo. Ela se transferiu da área de publicidade para uma grande firma de consultoria. Era, sem dúvida, uma *expert* – segundo o comentário geral. Seu chefe dizia: "Ela herdou uma grande encrenca". Anita chegava cedo ao escritório, trabalhava até tarde e também durante os fins de semana – e assim conseguiu controlar e corrigir os problemas. Executava em tempo hábil tudo o que lhe pediam.

Embora o primeiro ano no novo trabalho tenha sido apenas sucesso, os doze meses seguintes se converteram em constante fracasso. As pessoas esperavam que Anita conseguisse os mesmos resultados – ou mais – a cada dia. Para isso, ela era obrigada a passar um número inacreditável de horas no escritório. Sua dedicação durante o primeiro ano estabelecera padrões tão altos de desempenho que seria impossível superá-los, como todos esperavam, ou até mesmo mantê-los. Anita não se esforçou menos durante o segundo ano na firma nem sacrificou a excelência de seu desempenho – as expectativas é que se tornaram irrealizáveis.

Esse caso demonstra que é preciso ser realista no estabelecimento de hábitos de trabalho – e você não tem de tornar-se uma "supermulher" para provar que é eficiente.

Recomendações

1. Administre as expectativas das pessoas a seu respeito. Demonstre sempre a disposição de se esforçar um pouco mais, no entanto não tenha medo de apontar tarefas e prazos que fogem à realidade. Todos querem tudo para ontem. Uma atitude de defesa quando perceber que estão tentando tirar vantagem de sua boa vontade não vai causar um terremoto em sua carreira.
2. Estabeleça metas diárias ou semanais realistas. As mulheres pensam que há 34 horas em cada dia. Se você chegar ao escritório pensando que vai trabalhar até as nove da noite, é isso mesmo que acontecerá. Por outro lado, se chegar com a idéia de trabalhar até as seis e planejar seu dia, provavelmente conseguirá sair na hora desejada ou um pouco depois.
3. Se houver pouca gente em sua equipe, *peça* ajuda ou negocie prazos razoáveis. Diga, por exemplo: "Eu adoraria entregar isso a você às cinco horas, como solicitou, mas não temos pessoal suficiente para tanto. Amanhã, às cinco horas, é um prazo mais realista". Depois disso, mesmo que precise negociar e abrir concessões, será muito improvável que tenha de trabalhar até a meia-noite.

NOVA CONDUTA ☐

Erro 32

Assumir todas as responsabilidades

Essa é uma variação do erro anterior. Se há um projeto sob sua responsabilidade, isso não quer dizer que você seja a única pessoa que *pode* ou *deve* executá-lo. Significa apenas que é responsável pela conclusão do projeto. Se executar sozinha o trabalho, não espere recompensas. Na verdade, você será vista mais favoravelmente se for capaz de delegar partes do projeto ou persuadir algumas pessoas a ajudá-la. Essa atitude demonstra competência na administração de uma tarefa. Já observou que a primeira ação dos homens, ao receber a responsabilidade por um projeto, é delegar partes dele?

Orientei recentemente uma cliente que fora encarregada do desenvolvimento de um projeto de filantropia corporativa. Sua empresa nunca havia participado de ações comunitárias, não lucrativas. Essa responsabilidade parecia assustadora para ela. Não tinha idéia do que fazer nem por onde começar. Durante a conversa que manteve comigo, no entanto, ela compreendeu que não precisava fazer tudo num único dia nem tinha de agir sozinha. O engajamento de vários interessados da companhia e da comunidade traria um resultado muito mais eficaz porque, desde o início do projeto, poderia contar com o empenho deles, com suas idéias, sua energia e seus recursos. Quando saiu de meu consultório, essa cliente se livrara da pesada carga que trazia sobre os ombros ao chegar.

Recomendações

1. Quando for encarregada de um projeto ou de uma tarefa, evite a tendência de começar logo a *fazer* as coisas. Antes da execução, reflita, planeje, identifique recursos e assim por diante.
2. Cultive incessantemente bons relacionamentos em sua empresa e em seu campo profissional. Como já disse, será tarde demais para estabelecer uma boa relação quando chegar o momento de precisar dela.
3. Não tente reinventar a roda. A experiência me ensinou que há poucas coisas realmente novas sob o sol. Se *eu* tenho uma tarefa a cumprir, isso significa que outras pessoas executaram uma tarefa igual antes de mim. Procure essas pessoas e peça a orientação delas.
4. Aprenda a delegar. Mesmo que você não tenha uma equipe sob seu comando, recorra às boas relações que desenvolveu no ambiente de trabalho.

NOVA CONDUTA ☐

Erro 33

Seguir fielmente as instruções

Isso não se aplica a todas as mulheres, mas algumas delas se comportam de maneira quase obsessiva ao receber uma responsabilidade qualquer. Ficam tão ansiosas para cumpri-la o mais depressa possível que são incapazes de olhar em volta e identificar a proximidade de alguém ou de alguma coisa que as ajude a trabalhar melhor. Tendem a se concentrar nos detalhes, e não no todo. Mas as pessoas de sucesso sabem equilibrar táticas e estratégias.

Tenho duas funcionárias muito boas nisso em meu consultório: Kim, Ph.D. em Psicologia Cognitiva, e Majella, que estuda Artes Gráficas. Eu as contratei para cuidar dos muitos projetos e clientes novos. Uma vez que minha tendência é enxergar o todo, e não os detalhes, sempre acreditei que era necessário cercar-me de pessoas habilidosas com relação aos pormenores.

Quando são encarregadas de algum projeto, em vez de atirar-se ao trabalho, Kim e Majella fazem primeiro um planejamento cuidadoso e em seguida uma série de perguntas pertinentes. Essa atitude nos poupa muito tempo – para não falar em dinheiro e frustração – porque o planejamento delas evita surpresas desagradáveis e inesperadas, como constatar que a idéia do projeto não é adequada quando a equipe já está a meio caminho de sua realização. Elas agregam valor a nossa empresa porque não seguem fielmente minhas instruções. Em vez disso, pensam e planejam – e creio que a agregação de valor é uma das metas que *você* busca em sua vida profissional.

Recomendações

1. Antes de iniciar projetos grandes ou complexos, reúna colegas de trabalho criativos para elaborar um bom planejamento.
2. Não desperdice tempo nem energia com detalhes. Pelo contrário, pense na maneira mais rápida, barata e eficiente de realizar um projeto.
3. Procure orientação para lidar melhor com o estresse e superar a tendência de tratar qualquer tarefa como se fosse de extrema urgência.
4. Aprenda a jogar xadrez para desenvolver melhor o raciocínio estratégico.

NOVA CONDUTA ☐

Erro 34

Ver nos chefes uma figura paterna

Carol tinha uma carreira bem-sucedida, era inteligente e assertiva – com todos, exceto com seus superiores do sexo masculino. Quando um deles lhe fazia alguma pergunta, ela gaguejava de maneira infantil. Procurou minha orientação porque tinha consciência de que não projetava perante seus chefes a imagem que desejava. Agia como uma garotinha e, em conseqüência, era tratada como tal. Logo percebi que de nada adiantaria sugerir que tomasse atitudes mais incisivas nem que falasse de modo mais articulado. Ela já sabia como fazer ambas as coisas. Seu problema, entretanto, era não conseguir demonstrar esse comportamento diante de certas pessoas.

Num de nossos primeiros encontros, pedi que me falasse de seu pai. Soube então que ele era um coronel do Exército reformado e tratava sua família como se fosse um pelotão. Carol o descreveu como autoritário e crítico e acrescentou ser impossível contentá-lo. Quando lhe perguntei como sobrevivera à infância, ela disse ter aprendido a ser uma boa menina que obedecia às regras, estudava muito e não fazia nada que pudesse desagradar ao pai. Quando começou a trabalhar, reagia aos chefes como se estivesse na presença de seu exigente pai e ela fosse apenas uma filha atarefada.

O pai de Suzanne, por outro lado, estava sempre presente, era carinhoso e compreensivo. Ele a encorajava a perseguir seus sonhos e lhe dava o apoio emocional necessário para isso. Suzanne procurou orientação porque não conseguia entender as razões pelas quais nunca agradava a seu chefe. Acreditava estar sempre fazendo alguma coisa errada. Eu conhecia esse homem e, embora não dissesse nada a ela, sabia que tinha fama de crítico e era considerado um sabe-tudo egocêntrico. Não havia nada nem ninguém capaz de contentá-lo. Suzanne, entretanto, ainda não compreendera que nem todos os homens eram iguais a seu pai – e não deveria esperar que a tratassem da mesma forma.

Suzanne e Carol cometeram o erro idêntico de ver seus chefes como uma figura paterna. A reação infantil de esperar o melhor, ou o pior, dessa figura paterna pode impedir o estabelecimento de uma relação objetiva e independente com o chefe ou com qualquer outro superior.

Recomendações

1. Se sua reação diante do chefe ou de qualquer outra figura masculina de autoridade for diferente de sua maneira normal de agir, faça a si mesma estas três perguntas:

   - Quem ele me faz lembrar?
   - Como me comporto quando estou perto dele?
   - Por que dou a ele tanto poder?

   As respostas a ajudarão a compreender os motivos pelos quais você vê seu chefe como uma figura paterna.
2. Aprenda a ver a diferença entre as figuras masculinas de autoridade e seu pai. Quando estiver diante de seu chefe, diga a si mesma que ele não é seu pai e que vocês são iguais. Faça isso quantas vezes for necessário até acreditar e mudar de atitude.
3. Seja menos suscetível às emoções e concentre-se naquilo que as figuras masculinas de autoridade dizem, e não na maneira como dizem. Com essa atitude, você se tornará capaz de ouvir com objetividade e responder de forma adequada.

NOVA CONDUTA

Erro 35

Limitar suas possibilidades

Em seu livro *Women's Reality* [A Realidade das Mulheres], Anne Wilson Schaef observa que, em nossa cultura, a vida das pessoas menos poderosas está circunscrita dentro de limites determinados por aqueles que detêm o poder. Os homens brancos, que estão no ponto mais alto dessa hierarquia, decidem sobre os comportamentos apropriados a todos, inclusive as mulheres. Este livro trata, na verdade, da maneira como as mulheres vivem de acordo com as regras estabelecidas pelos homens. Um exemplo óbvio disso é o da Suprema Corte. Até 1981, quando Sandra Day O'Connor foi empossada no cargo de juíza, as leis que regiam todo o território norte-americano eram determinadas exclusivamente por homens.

A autora demonstra que, mesmo sem percebermos, essa maneira de viver estreita os limites de nossas escolhas. É como respirar em ambiente poluído: se passarmos a vida inalando esse ar, acabaremos acreditando que isso é normal – e só ao deparar com a beleza do céu límpido e com a pureza do ar sem poluição nós recordaremos a existência de ambientes mais saudáveis. O ar está sempre poluído para as mulheres, portanto raramente sabemos que as coisas podem ser diferentes. Aceitamos a falsa premissa de que nossas possibilidades são limitadas, quando na verdade elas só ficarão realmente limitadas se *permitirmos* isso.

Há pouco tempo uma cliente me procurou porque desejava uma promoção para a qual estava bem qualificada. Ela, no entanto, não tinha certeza de sua competência. Trabalhava havia muitos anos numa organização sem fins lucrativos e era a segunda no comando. Durante esse tempo ela viu diretores (todos homens) chegarem e partirem, mas nunca imaginou a si mesma como candidata ao cargo máximo da entidade. A junta diretora era composta exclusivamente de homens muito conservadores que nunca consideraram seu nome quando o posto de comando estava disponível. Essa omissão a levou a acreditar que não poderia concorrer ao cargo.

Após o primeiro encontro, ficou óbvio para nós duas que ela possuía o talento e a experiência necessários para obter a promoção, mas lhe faltava autoconfiança. Fora criada numa família cuja grande estrela era seu irmão mais velho, e ela recebia constantemente a mensagem de que era boa, mas nem de longe tinha o talento do irmão. Estava bem clara, portanto, a razão pela qual ficava satisfeita com o segundo lugar.

Em nosso segundo encontro eu quis saber por que, depois de tantos anos, ela queria agora o posto supremo da organização. Respondeu que, após observar várias colegas de profissão que haviam começado a carreira em condições semelhantes às suas, constatara que todas ocupavam altos cargos executivos. Sua decisão se devia em parte ao constrangimento que sentia por não ter progredido profissionalmente e em parte ao fato de estar entediada e pronta a enfrentar um novo desafio.

Quando nos encontramos pela terceira vez, minha cliente estabelecera um plano: comunicaria aos diretores seu interesse pelo cargo e demonstraria com clareza por que era a candidata mais qualificada para exercê-lo. Dois meses depois (essa junta diretora era mesmo muito lenta!), ela se tornara a mais forte candidata ao posto e finalmente, em três meses, tomava posse do cargo e da sala da presidência da entidade.

Numa sociedade em que as mulheres recebem tantas mensagens sutis – e também não tão sutis – que lhes indicam a necessidade de "reconhecer seu lugar", é importante pensar fora dos estreitos limites impostos. Uma das profissionais mais poderosas da área de entretenimento, se não a mais poderosa, é Sherry Lansing, presidente do conselho da Paramount Pictures. Como sabia que a chance de ter o próprio estúdio jamais lhe seria oferecida, ela fundou uma empresa de produção. Quando sua companhia realizou filmes de sucesso como *Atração fatal* e *Acusados*, os chefões da Paramount prestaram atenção nela. Pouco tempo depois foi convidada a voltar e assumir o posto máximo do grande estúdio. Fica uma lição desse caso: se você viver dentro dos limites estreitos impostos pelos outros, jamais conhecerá a amplitude de seus potenciais – nem as outras pessoas poderão conhecê-los.

Recomendações

1. Expanda conscientemente suas possibilidades analisando as escolhas que você fez ou que vier a fazer diante de cada chance de mudança. Se não conseguir isso sozinha, peça a ajuda de uma pessoa que a conhece bem.
2. Tenha cuidado com a voz interior que diz:

    - "Eu nunca seria capaz de agir como minha irmã. Não tenho a coragem dela".
    - "Jamais aprovarão minha idéia, por mais fortes que sejam meus argumentos".
    - "Acho que nem vou me candidatar a esse emprego, não sou bem qualificada".
    - "Não tenho inteligência suficiente para me formar em Medicina".
    - "Nunca poderei economizar dinheiro bastante para me aposentar cedo".

3. Evite a tendência de desconsiderar as escolhas menos convencionais. Antes de tomar uma decisão, reflita com cuidado sobre todas as possibilidades, pois sempre há o risco de descartar justamente aquela que é melhor para você.
4. Leia biografias de mulheres bem-sucedidas e aprenda com elas a expandir suas possibilidades.
5. Ignore os pessimistas. Ninguém jamais seria capaz de alcançar o sucesso profissional se os "prognósticos" deles se realizassem.

NOVA CONDUTA ☐

Erro 36

Ignorar a troca de favores

As pessoas não gostam de falar nisso, mas em todos os relacionamentos existe, subentendida, uma expectativa de apoio recíproco – isto é, uma troca de favores. Esse fato torna-se muitas vezes bastante óbvio: "Eu lhe pago um salário e, em troca, espero que faça um bom trabalho". Em outras ocasiões é mais sutil: "Eu dou boas referências sobre você e, em troca, espero que consiga de seu futuro patrão um volume maior de compra de meus produtos". Trata-se de um sistema implícito de intercâmbio inerente a todos os tipos de relacionamento. As mulheres, todavia, não são muito boas nisso. Pelo contrário, costumam prestar favores sem esperar nada em troca.

A identificação dessa troca de favores é parte importante do desenvolvimento de boas relações profissionais. O que você tem a oferecer que os outros queiram e precisem e vice-versa? Cada vez que você presta um favor às pessoas, é como se um depósito imaginário fosse feito em sua "conta". Por isso, é recomendável ter sempre nessa "conta" um saldo positivo maior que o necessário. E a única maneira de conseguir isso é interagir generosamente com os outros.

Essa atitude, na verdade, não é tão mercenária quanto parece. Fazemos isso todos os dias e nem percebemos. Digamos, por exemplo, que eu a ajude a fazer um relatório porque você precisa sair mais cedo para ir ao médico. Isso significa um depósito em minha "conta". Algum tempo depois, eu é que preciso de uma informação que você conseguiu em suas pesquisas e então posso "sacar" o depósito feito e trocá-lo pela informação. Esse intercâmbio de favores, embora quase sempre permaneça implícito, às vezes é verbalizado: "Lembra-se de que lhe emprestei meu *laptop* no mês passado? Bom, eu agora preciso de um favor seu".

Recomendações

1. Quando alterar seus planos para fazer um favor a uma pessoa, certifique-se de que ela saiba disso. Você pode, por exemplo, dizer: "Quero terminar este relatório antes de sair. Combinei encontrar-me com uma amiga após o trabalho, mas posso muito bem telefonar e avisá-la de que vou me atrasar um pouco". Pronto, você acaba de fazer um depósito em sua "conta"!
2. Não deixe que as coisas pareçam fáceis demais quando fizer um favor a alguém. Diga, por exemplo: "Estou feliz de lhe comunicar que consegui convencer o departamento de assistência técnica a passar o conserto de seu *laptop* à frente de outros pedidos, pois sei que terá de levá-lo em sua viagem". Eis outro depósito em sua "conta"!
3. Não subestime o valor de troca de pequenos gestos, tais como dizer palavras de apoio durante uma reunião, fazer elogios em público, ouvir com atenção ou passar informações ou boatos de interesse geral. São gestos aparentemente corriqueiros, mas se tornam bens valiosos no ambiente de trabalho.
4. Não desperdice seus depósitos, mas também não tenha medo de usá-los. Se estiver interessada em determinado emprego, por exemplo, e uma pessoa a quem você fez vários favores puder indicá-la, peça isso a ela. Se precisar de ajuda para resolver um problema, recorra a alguém que você apoiou em idêntica situação no passado. Lembre-se de que a troca de favores não é automática, não deve ser necessariamente imediata nem precisa tornar-se óbvia.

NOVA CONDUTA ____________

Erro 37

Faltar a reuniões

Esqueça a idéia de que as reuniões de trabalho devem ser proveitosas e interessantes. Acreditar nisso é pura ingenuidade. Da mesma forma, evite a tendência de ficar em sua mesa trabalhando porque *isso* é mais importante, pois estará cometendo um erro. Sei que a maior parte das reuniões parece uma incrível perda de tempo para quem não acredita na eficácia delas – mas não se trata de perda de tempo. Trata-se, isso sim, do fato de que as reuniões existem para que as pessoas vejam e sejam vistas, encontrem-se e se cumprimentem e principalmente falem, ouçam e conversem. Tudo isso é parte integrante do marketing pessoal, tema do próximo capítulo, coisa que a maioria das mulheres precisa aprender a fazer muito mais e melhor.

Recomendações

1. Não falte a reuniões (mesmo que esteja cansada de saber que elas jamais cumprem seus objetivos porque se fala de tudo, menos dos assuntos em pauta).
2. Aproveite as reuniões como uma oportunidade de demonstrar suas habilidades ou seus conhecimentos (desde que não seja para tomar notas nem para fazer café). Se tiver facilidade para isso, ofereça-se para conduzir a reunião, pois é muito melhor do que ficar apenas sentada e entediada. Se você pretende cultivar boas relações de trabalho, apóie o que alguns dos participantes dizem ou propõem (mas apenas se realmente concordar com eles).
3. *Peça* para ser convidada a participar de reuniões em que haja probabilidade de encontrar a alta administração da empresa e não perca nenhuma oportunidade de falar sobre assuntos e aspectos relacionados ao trabalho que você conheça bem.

NOVA CONDUTA ☐

Erro 38

Dar mais importância ao trabalho que à vida pessoal

Não faça do trabalho a única razão de sua vida. O presidente de uma das 100 maiores empresas dos Estados Unidos (um homem, é claro) me disse certa vez: "Se meus funcionários não puderem fazer seu trabalho e tiverem uma vida pessoal fora da organização, eles estarão fazendo alguma coisa errada". Não acredito que você deseje realmente que, quando morrer, haja em seu túmulo uma placa com a inscrição: "Ela sempre colocou as necessidades da empresa na frente das suas". Você deve a sua companhia um dia de trabalho honesto em troca de um pagamento diário também honesto. Você deve a sua companhia um limite razoável de horas extras (com ou sem pagamento, mas sempre sem reclamações). Você, porém, não deve sua alma à companhia.

Quando as mulheres deixam em segundo plano o que é importante para elas e atendem às necessidades do trabalho antes de tudo em geral existem duas razões para isso: elas não têm motivos para voltar para casa ou não querem enfrentar o que as aguarda em casa. O cultivo de atividades e de relacionamentos importantes fora do ambiente de trabalho nos ajuda a manter uma atitude mental positiva e produtiva. A crença de que é preciso renunciar à vida pessoal para ter uma carreira de sucesso não passa de mera falácia. Uma rotina só de trabalho, sem lazer e sem calor humano, endurece e torna insensível qualquer pessoa.

Recomendações

1. Pense duas vezes antes de cancelar um compromisso pessoal por estar atolada de trabalho. Pese os benefícios e os prejuízos que essa atitude pode trazer. Há, evidentemente, ocasiões em que é mesmo necessário cancelar um compromisso de lazer para priorizar um trabalho urgente, mas se essa for a regra, e não a exceção, alguma coisa está errada.
2. Nunca desmarque um programa combinado com seus filhos, exceto se seu emprego depender disso. Mesmo assim, pense duas vezes. É claro que você não pode perder um emprego que lhe dá sustento financeiro, mas considere a possibilidade de transferir-se para uma empresa mais voltada para os valores familiares.
3. Cultive *hobbies* e interesses fora da empresa. Se ainda não tem nenhum, *crie* uma razão para encerrar o trabalho de cada dia.
4. O que você *realmente* deseja que seja escrito em seu túmulo? Decida e faça por merecer isso.

NOVA CONDUTA

Erro 39

Permitir que as pessoas façam você perder tempo

Parece que as mulheres trazem uma frase escrita na testa: "Venha, desperdice meu tempo". Se não fosse assim, por que todo mundo passaria tanto tempo jogando conversa fora conosco? Não consigo entender os motivos que levam as pessoas – homens, mulheres ou crianças – a entrar em minha sala e me fazer todos os tipos de pergunta com a desculpa de que "Bob está ocupado no momento". Por acaso *eu* não estou ocupada também? O tempo é um de nossos bens mais preciosos. Se o desperdiçarmos, jamais o recuperaremos.

Todos supõem que as mulheres devem ser atenciosas, gentis e falantes. Mas eu afirmo que atenção e gentileza não excluem o direito de preservar nosso tempo. Há o momento e o lugar certos para tudo na vida. Quando você tem um prazo curto para terminar um projeto, quando está atrasada para um compromisso marcado ou quando espera convidados para o jantar, *definitivamente* não é o momento certo de permitir que desperdicem seu tempo.

Christine Reiter, presidente da empresa de consultoria Time Strategies, ensina seus clientes a maximizar o uso do tempo. Quando lhe perguntei de que maneira as mulheres são diferentes dos homens em relação ao desperdício de tempo, ela respondeu: "A ânsia de agradar às pessoas e a incapacidade de dizer *não* são os aspectos que mais levam as mulheres a perder tempo. Não gostamos de conflitos nem de confrontos. Como resultado, temos dificuldade de estabelecer limites e também de deixar clara nossa posição".

Não estou sugerindo que *nunca* dedique seu tempo às outras pessoas. Isso seria desastroso para seus relacionamentos pessoais e profissionais, pois se você não prestar favores nem der apoio a ninguém tampouco os receberá. Recomendo, no entanto, que pense com seriedade no assunto antes de permitir que os outros se aproveitem de seu precioso tempo – principalmente quando você dispõe de pouco ou de nenhum.

Recomendações

1. Perceba a diferença entre os momentos em que as pessoas *precisam* falar com você e os momentos em que elas *querem* falar.
2. Use esta frase para afastar aqueles que fazem você perder tempo: "Eu adoraria falar mais do assunto, mas tenho muito trabalho hoje. Que tal continuar a conversa amanhã?"
3. Use pequenos truques para evitar o desperdício de tempo, tais como manter pilhas de papéis sobre as cadeiras próximas de sua mesa, não tirar os olhos do trabalho quando alguém entrar em sua sala, reservar um período do dia para retornar telefonemas e *e-mails* e pendurar na porta um aviso do tipo "por favor, não perturbe" quando estiver ocupada demais.
4. Algumas sugestões de Christine Reiter:
   - Estabeleça limites claros do tempo que você tem – ou não tem – e saiba que o mundo não vai acabar por causa disso.
   - Se as pessoas ignorarem esses limites (como inevitavelmente fazem com as mulheres), reforce-os dizendo, por exemplo: "Como já comentei, adoraria passar mais tempo conversando com você, mas hoje estou realmente sobrecarregada".
   - Se alguém fizer você esperar mais de vinte ou trinta minutos para atendê-la mesmo quando houver um compromisso marcado, vá embora. Isso abrange almoços de negócios, consultas médicas e encontros com amigos.

NOVA CONDUTA ☐

Erro 40

Desistir cedo demais de seus objetivos de carreira

Sucesso gera sucesso. Como disse Eleanor Roosevelt: "Você ganha coragem e confiança quando faz as coisas que acredita não ser capaz de fazer". Muitas mulheres, porém, deparam freqüentemente com um problema – permitem que os outros as afastem de seus sonhos e de suas metas de carreira. Mary Catherine Bateson, filha dos conhecidos antropólogos Margaret Mead e Gregory Bateson, escreveu um livro maravilhosamente lúcido intitulado *Composing a Life* [A Composição de uma Vida]. Ela observa que a vida das mulheres, ao contrário da vida dos homens, não é linear – está em constante mudança de rumo. "Nossa vida não apenas toma novas direções", escreveu, "como também fica sujeita a repetidas mudanças de objetivo, em parte devido à extensão de nossos anos de saúde e produtividade." São essas mudanças de objetivo que se interpõem entre nós e a realização completa de nossos planos de carreira. Em conseqüência, quando desejamos retomá-los, muitas vezes descobrimos que o mercado de trabalho já não tem interesse em nós.

Ao longo de meus anos de trabalho com tantas empresas, tenho visto inúmeras mulheres brilhantes e bem preparadas admitidas apenas em cargos menores, de início de carreira, por terem abandonado seus antigos objetivos profissionais. Elas erroneamente julgavam poder retomar sua carreira no ponto em que a deixaram. Entrevistei certa vez uma mulher, candidata a um cargo na área de comunicação corporativa, que interrompera e retomara várias vezes a carreira. Graduada em Letras, ela pretendia entrar no campo jornalístico como redatora ou editora. Nos últimos doze anos, ela trabalhara em várias funções administrativas durante curtos períodos (entre oito e dezoito meses) porque tinha de acompanhar o marido em suas transferências de emprego através do país. Era uma mulher adorável e obviamente brilhante, mas admitiu, quando lhe perguntei, não estar plenamente qualificada para trabalhar na velocidade exigida pela tecnologia atual. Considerando também seu histórico profissional instável, eu não podia, em sã consciência, recomendá-la para o cargo.

Se ela ao menos estivesse tecnologicamente atualizada, eu a teria aprovado para o estágio seguinte de seleção, como fiz com outras candidatas. Da mesma forma, se tivesse alcançado pelo menos um de seus objetivos profissionais, por menor que fosse, minha avaliação seria diferente, pois haveria maior probabilidade de ela corresponder às metas da área de comunicação. Em vez disso, como ocorre com tantas mulheres em situação semelhante, havia para ela apenas a chance de se candidatar a um posto inicial de secretária e abrir um novo caminho.

Mesmo que as circunstâncias a impeçam de realizar de imediato seus maiores objetivos profissionais, você deve permanecer envolvida e atualizada em relação a sua área de interesse. Talvez seus talentos e habilidades sejam mais que suficientes para uma carreira bem-sucedida, mas, se você se desviar dela para atender a outras prioridades ou a expectativas sociais e familiares, não será possível julgá-la por seus potenciais, e sim apenas por seu histórico profissional.

Recomendações

1. Se as circunstâncias desviarem você de seus objetivos profissionais, evite abandoná-los completamente. Em vez disso, elabore um plano de vida que lhe permita manter-se atualizada em sua área de interesse. Converse com amigos e parentes e peça a ajuda deles para permanecer no caminho que escolheu.
2. Pense na importância de um diploma universitário não apenas para sua carreira como também em termos de autoconfiança. Mesmo que não precise dele para trabalhar, você provavelmente gostaria de obtê-lo, não é? Nesse caso, mãos à obra!
3. Se alguém tentar desviá-la de seu caminho profissional, considere normal essa atitude – mas não ceda. Quando um "sistema" se altera, quer político, quer ecológico, quer familiar, a tendência é manter o equilíbrio voltando ao *status quo*. E então adivinhe o que acontece: as pessoas, para preservar esse *status quo*, pretendem que você renuncie a suas necessidades e a seus projetos. Se conseguirem isso, você não terá mais nenhuma chance.
4. Se decidir permanecer algum tempo exclusivamente no papel de mãe e dona-de-casa, mantenha os vínculos com sua área profissional participando de entidades de classe ou fazendo cursos de atualização.
5. Faça trabalho voluntário em seu campo de interesse, pois isso lhe permitirá ter acesso ao equipamento e à tecnologia necessários quando voltar à ativa.

NOVA CONDUTA ☐

Erro 41

Ignorar a importância da rede de relacionamentos

Uma vez, há muitas décadas, num tempo que parece tão remoto, as pessoas faziam seu trabalho, recebiam seu salário e iam para casa certas de que, se cumprissem corretamente suas obrigações, poderiam dormir tranqüilas à noite. Sentiam-se protegidas. Esse cenário só seria possível hoje em dia em algum conto de fadas. Houve época em que a IBM, por exemplo, se tornou célebre por sua política de estabilidade de emprego. Nem mesmo durante as crises financeiras seu pessoal era dispensado. Podia haver corte das horas de trabalho ou redução de salário, mas o fundador da empresa, Tom Watson, orgulhava-se de sua política de estabilidade. Hoje não é mais assim.

Muitas mulheres ainda acreditam nesse conto de fadas. Elas vão trabalhar, são competentes, procuram não causar problemas e acham que isso basta para protegê-las da demissão e do fracasso. Essa crença é errônea. Estamos no centro de uma complexa rede de pessoas.

GRÁFICO 4

Rede de relacionamentos

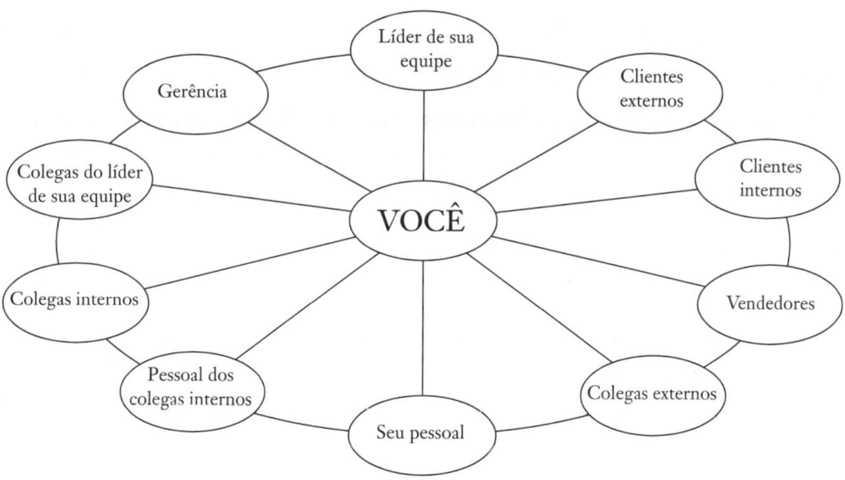

Você deve estabelecer boas relações com todas as pessoas apresentadas no Gráfico 4. Obviamente não será necessário cultivar essas relações num clube de campo nem na mesa de um bar tomando cerveja, mas você precisa construí-las se quiser obter sucesso a longo prazo.

Em vez de contar a história de uma mulher cuja carreira fracassou pela falta de relacionamentos profissionais, vou citar o exemplo de outra, que salvou sua carreira graças a uma boa rede de relações. Alexis é a responsável pelas vendas para a América do Norte de uma companhia internacional de brinquedos. Após vários anos de trabalho na empresa, seu chefe deixou o posto e foi substituído por um executivo trazido de fora. Alexis e o novo chefe discordavam a respeito de muitas questões, e a insatisfação de ambos tornou-se inevitável.

Esse executivo estava pronto para demiti-la e pediu ao departamento de recursos humanos que o ajudasse a fazer isso. Admitia a competência e a dedicação dela, que sempre atingira suas metas de vendas, mas alegou o fato de que ambos discordavam com relação a coisas importantes, como algumas mudanças que ele pretendia implementar nos negócios da empresa. Para reforçar seus argumentos, sugeriu uma pesquisa entre as pessoas que compunham a rede de relacionamentos de Alexis para obter *feedback* do desempenho dela. O novo chefe acreditava que, se *ele* não se dava bem com a moça, ninguém mais o faria.

Mas o resultado da pesquisa o surpreendeu. Alexis era excepcionalmente boa nisso também. Soube construir relações sólidas com os clientes da empresa, os vendedores, os colegas e com seus subordinados. Recebeu elogios por sua ética profissional, sua integridade e pela atenção às necessidades dos clientes. As respostas escritas da pesquisa atestavam o alto conceito e o carinho que Alexis merecia de todos. Ficou muito claro que, se o novo chefe a demitisse, perderia o respeito e a boa vontade de todas as pessoas ligadas à empresa, de empregados a clientes. Graças ao resultado da pesquisa, o executivo se viu forçado a encontrar uma forma de trabalhar e de entender-se melhor com a moça.

Esse caso demonstra o poder de uma boa rede de relacionamentos. A maior parte das pessoas não passa por situações tão dramáticas, mas todos nós precisamos de apoio profissional pelo menos algumas vezes na vida. Insisto nisso: *quando você realmente depender de uma boa relação, será tarde demais para cultivá-la.*

Recomendações

1. Retorne ao Gráfico 4 e escreva, em cada categoria, os nomes das pessoas que têm influência efetiva sobre seu trabalho e sua carreira.
2. Estabeleça um plano para desenvolver (ou manter) um bom relacionamento com cada uma dessas pessoas. Pense em termos de troca de favores (veja os erros 9 e 36).
3. Filie-se e participe ativamente de uma entidade de classe.
4. Convença-se de que investir alguns momentos, todos os dias, no desenvolvimento de boas relações não é perda de tempo. Quanto maior for sua rede de relacionamentos profissionais, mais acesso você terá a informações e recursos.
5. Mantenha uma agenda ou um banco de dados com a relação atualizada de todas as pessoas que você conhece e das informações que obteve delas.

NOVA CONDUTA

Erro 42

Recusar uma sala à altura de sua função

Telma foi promovida a um alto cargo administrativo. A empresa em que trabalhava, como muitas outras, adotava uma política que relacionava a sala dos funcionários à posição que ocupavam. Você conhece as regras: os empregados situados na base da pirâmide trabalhavam num cubículo sem janela; outros, mais graduados, tinham um cubículo com janela; outros ainda ganhavam um cubículo duplo, e assim por diante – até chegar aos que mereciam um escritório de chefia, maior, privativo, bem decorado e atapetado. (Toda vez que trabalhava em empresas norte-americanas, eu dizia: "Quero ser promovida a uma *porta*".) Com a promoção, Telma tornou-se merecedora de um escritório com janela, porta e mobiliário de luxo. Quando soube que teria de transferir-se de seu cubículo duplo com janela, ela se recusou, pois não via necessidade de enfrentar os gastos e os transtornos dessa mudança. Grande engano!

Nancy viveu uma situação semelhante. Graças a uma promoção, ela ganhou um escritório novo, com mobília, computador e tudo mais. Esperava mudar-se para o novo espaço, mas o sinal verde para isso não chegava. Certo dia perguntou a seu superior qual era a causa da demora, e ele informou que acabara de contratar alguém e precisava da sala antes destinada a Nancy. O novo funcionário era, obviamente, um homem. Em vez de protestar, ela decidiu permanecer em seu antigo cubículo e sentiu-se grata por pelo menos ter sido promovida. Engano maior ainda!

Recomendações

1. Você não ganha um escritório novo porque quer nem porque acredita merecê-lo. Você o recebe porque ele reflete a impressão que os outros têm a seu respeito – e também a impressão que você tem de si mesma.
2. Se você for transferida para uma sala – digamos – "desleixada", chame a atenção de seu chefe para o fato. Talvez se trate realmente de mero descuido, e seus superiores, mais uma vez, esperam que você reaja como a maioria das mulheres e aceite isso sem reclamar seus direitos.
3. Se o novo escritório não estiver à altura de sua posição – e você tiver certeza de que não se trata de descuido –, pergunte os motivos disso. Procure, pelo menos, fazer com que seu chefe confesse, olhando-a nos olhos, que você não recebeu o que todos os outros funcionários (homens) recebem na mesma situação.
4. Se essa desconsideração a incomodar e você estiver preparada para enfrentar as prováveis conseqüências, leve o caso ao conhecimento da alta administração da empresa e peça uma decisão final. Sem lamentações nem acusações, exponha a situação e deixe claro o tratamento que você esperava receber. O pior que pode acontecer é ouvir um "não". Nesse caso, deve aceitar a recusa, a menos que esteja disposta a perder o emprego.
5. Quando você tiver uma promoção, não deixe de solicitar (e certificar-se de que vai receber) tudo aquilo a que tem direito, pois esse tipo de informação muitas vezes não está disponível ou chega ao seu conhecimento tarde demais.

NOVA CONDUTA ☐

Erro 43

Pensar sempre o pior

Minha mãe era mestra em pensar sempre o pior quando havia algum problema. Se alguém se mostrasse um pouco frio com ela, logo dizia: "Acho que ele não gostou do presente que lhe dei". Se eu não conseguisse o emprego que desejava, seu comentário imediato era: "Talvez você tenha escolhido a roupa errada". Se meu pai não fosse promovido, ela perguntava: "Será que você não ofendeu seu patrão?" Em conseqüência, quando as coisas não aconteciam conforme o planejado, eu deduzia que a causa disso era algum erro meu. Não sou a única a pensar dessa forma. Muitas mulheres sofrem com esse problema, e a razão é a mesma!

Pensamentos negativos no trabalho servem apenas para prejudicar sua carreira, relegando-a a posições secundárias. Pior ainda, você hesita em correr alguns riscos (necessários) por medo das conseqüências. Lembre-se de que o pessimismo é paralisante.

Vamos ver um exemplo: uma antiga cliente telefonou-me para falar de uma oportunidade de promoção que lhe fora oferecida. Ela poderia tornar-se a gerente de seu departamento, e isso significava muito, uma vez que sua admissão na empresa era relativamente recente. Logo após receber a notícia, porém, minha cliente se viu presa de tantos pensamentos negativos que se acovardou, morta de medo de cometer erros graves e falhar no desempenho da nova função.

Ela poderia até mesmo estar certa em considerar os riscos potenciais, mas seu maior problema era a incapacidade de superar os pensamentos negativos, que não lhe permitiam ver a existência de muitos recursos para ajudá-la na nova experiência. Em primeiro lugar, se não tivesse competência para vencer o desafio, essa oportunidade jamais lhe teria sido oferecida. Apesar do medo, ela acabou por aceitar a promoção – e, para sua surpresa, tem obtido excelentes resultados.

Recomendações

1. Para começar, substitua os pensamentos negativos por outros, mais neutros. Se houver problemas, investigue as causas deles, que provavelmente nada terão a ver com eventuais erros cometidos por você.
2. Concentre-se nas soluções, e não nos problemas. Se você afundar num mar de negativismo, não poderá enxergar as soluções mais óbvias.
3. Leia *Como Superar o Medo*, de Susan Jeffers. É um livro excelente. Como o título sugere, você não deve permitir que o medo a afaste da busca de seus objetivos. A autora oferece sugestões concretas para transformar pensamentos negativos em resultados positivos.

NOVA CONDUTA ☐

Erro 44

Lutar pela perfeição

Levadas a acreditar que são criaturas imperfeitas e fracas, as mulheres tentam compensar esse "defeito" lutando pela perfeição. Sabemos – intelectualmente – que isso é impossível, mas emocionalmente buscamos a perfeição sempre que nos sentimos inseguras ou nos julgamos incompetentes. Que perda de tempo e energia! Ganharíamos muito mais se usássemos o tempo que desperdiçamos aperfeiçoando trabalhos ou relacionamentos que já têm boa qualidade na realização de empreendimentos novos e criativos. Já vimos os problemas que enfrentamos quando permitimos que os *outros* desperdicem nosso tempo. Se vivermos em busca da perfeição, no entanto, *nós* é que estaremos jogando fora nosso precioso tempo.

Júlia é um exemplo perfeito disso. Antes de procurar orientação, ela se sentia enlouquecer pela compulsão de checar, tornar a checar – e mais uma vez verificar – tudo o que saía de sua sala. Essa busca obsessiva de perfeição causou o fracasso de seu casamento, rendeu-lhe problemas de saúde e deixava absolutamente alucinadas as pessoas que trabalhavam com ela. Ninguém queria Júlia em sua equipe devido à fama de maníaca que a precedia. Sua carreira estava seriamente ameaçada por causa da incapacidade de desligar-se das minúcias. Ela passava, inconscientemente, a mensagem de que nada era capaz de satisfazer seus padrões de exigência. Isso provocava nos colegas de Júlia a sensação de que *eles próprios* eram incapazes. E quem desejaria trabalhar com uma pessoa assim?

Recomendações

1. Reduza conscientemente o tempo que você gasta todos os dias checando papéis. Se tiver o prazo de uma hora para aprovar um relatório, faça isso em uma hora. Se deixar seu horário de trabalho em aberto, a mania de perfeição levará você a permanecer no escritório muito além do tempo necessário.
2. Solicite *feedback*. Em vez de fazer serão para completar uma tarefa que talvez já esteja pronta, peça a opinião de um colega. Se ele aprovar, não se sacrifique.
3. Se sua mania de perfeição for obsessiva ou compulsiva, procure assistência profissional. Talvez a medicação adequada ajude você a superar a ansiedade que está quase sempre associada ao perfeccionismo.
4. Contente-se com 80% de perfeição. A diferença não será notada pela maioria das pessoas, mas lhe dará mais tempo para cuidar de outras tarefas importantes.
5. Pergunte a si mesma todos os dias: "Estou usando bem o meu tempo?" Se a resposta for positiva, pergunte por quê. Se a segunda resposta estiver relacionada a sua auto-imagem e à opinião das outras pessoas a seu respeito, isso é sinal de que você está novamente perseguindo a perfeição.
6. Supere a necessidade de ser considerada perfeita e prefira ser considerada humana. Afinal de contas, você é uma pessoa, não um mecanismo.

NOVA CONDUTA ____________

capítulo 5

Como você faz seu marketing pessoal

Quando você pensa em marcas famosas, quais delas vêm a sua mente? Se for como a maioria das pessoas, logo se lembrará de nomes como Coca-Cola, Xerox e Brahma. Essas marcas não são apenas familiares – elas se confundem com os produtos que apresentam. Quando pedimos simplesmente uma "Coca", todos sabem o que queremos. Sempre tiramos "xerox" de um documento, não importa a marca do equipamento utilizado. Em vez de dizer "quero uma cerveja", pedimos apenas "uma Brahma". As marcas conquistam renome em conseqüência de dois fatores: qualidade permanente e marketing. A existência de apenas um deles não garante o sucesso nem a liderança de nenhum produto no mercado.

O doutor Bruce Heller, presidente da empresa de consultoria Strategic Leadership Solutions [Soluções de Liderança Estratégica], sediada na Califórnia, orienta profissionais sobre a importância de pensar em si mesmos como marcas a ser *vendidas*. "Você deve olhar o ambiente de trabalho como se fosse o mercado", diz ele. "E, nesse mercado, o produto é *você*." É possível criar sua marca identificando, em primeiro lugar, o que distingue você de seus colegas de trabalho e depois fazendo o marketing dessa distinção, como ocorre com as marcas recém-lançadas.

É muito importante que as mulheres se lembrem de uma das frases preferidas do doutor Heller: "Fora da vista, fora da mente, fora do mercado". Aprendemos, desde meninas, que devemos ser vistas, e não ouvidas. Essa "premissa", quando trazida para a idade adulta, se traduz numa forma de trabalhar silenciosa e discreta. Ouço com freqüência muitas mulheres dizerem que não se importam quando não lhes dão crédito, pois se sentem felizes pelo simples fato de dar sua contribuição ao mercado de trabalho. Como resultado, somos preteridas nas promoções e tarefas relevantes para as quais temos plena capacidade e, de fato, merecemos. As sugestões deste capítulo vão ajudar você na definição de sua marca e no reconhecimento do valor dessa marca, assim como no desenvolvimento de um plano de marketing pessoal.

Erro 45

Não definir sua marca pessoal

Há pouco tempo entrevistei uma candidata a uma vaga em nossa equipe que fizera doutorado em Desenvolvimento Organizacional. Seu currículo era impressionante. Ela parecia ter o tipo de experiência e qualificação que eu procurava, mas não me sentia segura com relação a sua especialidade. Como nossa firma é conhecida por seus peritos na área de desenvolvimento pessoal, que podem fornecer conhecimentos especializados aos executivos que nos procuram, uma das primeiras questões que propus à moça foi: "Fale-me de sua qualidade mais reconhecida". Durante os 35 minutos seguintes, ela me contou tudo o que fizera, falou de seus interesses e das várias maneiras pelas quais agregaria valor a nossa empresa. Mas havia um problema: ela não respondeu a minha pergunta. Apesar de eu ter feito e refeito a pergunta de muitas formas diferentes ao longo de mais 45 minutos, não consegui saber a qualidade específica que a tornava única entre seus pares.

Peter Montoya é o editor de uma revista chamada *Personal Branding* [Marca Pessoal]. Na primeira edição, ele escreveu: "A marca pessoal é uma promessa de desempenho que gera certas expectativas. Se for bem-feita, com certeza demonstrará os valores, a personalidade e os talentos de quem a possui". Foi isso que faltou à candidata que desejava fazer parte de nossa equipe, mas não foi escolhida em razão da incapacidade de definir claramente sua marca.

Recomendações

1. Faça uma lista dos aspectos de seu trabalho que lhe trazem mais satisfação (de três a cinco). Nossa tendência é executar bem as coisas que apreciamos. Se você se concentrar nelas primeiro, será mais fácil manter a direção certa. Suas respostas podem ser: ajudar os outros, saber ouvir, resolver problemas, negociar, elaborar relatórios técnicos, administrar projetos, coletar dados, identificar obstáculos ou implementar soluções, entre muitas outras.
2. Em seguida, relacione esses comportamentos a seus três maiores pontos fortes. Por exemplo: "Minha habilidade de ouvir facilita o trabalho de coleta de dados de fontes menos acessíveis. Além disso, escrevo bem, o que me permite registrar os dados coletados de forma objetiva. E, após a coleta e o registro dos dados, tenho facilidade de identificar problemas e implementar soluções". Repita mentalmente essas frases para que, se necessário, você possa dizê-las com fluência e confiança.
3. Pense nas várias maneiras pelas quais essas características podem diferenciar você de seus colegas. A habilidade de coletar e registrar dados, por exemplo, talvez seja única num departamento ou numa empresa mais voltados à produção. A capacidade de desenvolver boas relações de trabalho também pode tornar-se única e valiosa caso você trabalhe numa organização cujo principal produto seja o capital intelectual.

NOVA CONDUTA ☐

Erro 46

Subestimar seu trabalho ou sua posição

Já perdi a conta das vezes em que ouvi minhas clientes responderem à pergunta "o que você faz?" usando frases que subestimam e diminuem o valor de seu trabalho. Eis alguns exemplos: "Eu *apenas* gerencio uma agência governamental", "Sou uma *simples* assistente administrativa" ou "Trabalho como uma *espécie* de gestora de informações tecnológicas". Esses comentários não soam como marcas pessoais que eu gostaria de conhecer melhor. Pelo contrário, revelam um sentimento de vergonha ou de ausência de orgulho com relação à sua atividade. *Todo* trabalho é fundamental para as operações de *qualquer* empresa. Talvez você nunca chegue à presidência da IBM, mas não teria seu emprego se ele não fosse necessário ao bom andamento dos negócios da organização em que trabalha. O conhecimento dos motivos pelos quais sua empresa *precisa* de você é indispensável para estabelecer sua marca pessoal e desenvolvê-la.

A capacidade de dizer *resumidamente* às outras pessoas o que você faz, imprimindo a maior ênfase possível a sua frase, tem relação direta com esse conhecimento. Não estou sugerindo que você minta, mas deve demonstrar orgulho pela forma como ajuda sua organização a ser bem-sucedida na busca de seus objetivos. Se você não for capaz de dizer a alguém, no elevador de um prédio de poucos andares, qual é sua função, isso significa que ainda não definiu sua marca pessoal.

Recomendações

1. Aprimore a frase que define sua marca pessoal. Ela deve ser breve e não ter palavras depreciativas, como um reflexo de seus pontos fortes. Eis alguns exemplos:

   "Sou coordenadora de projetos de uma firma de arquitetura. Minha função é assegurar o sucesso de nosso negócio com a entrega, em tempo hábil, de serviços de alta qualidade".

   "Eu trabalho numa companhia de transportes, e minha responsabilidade é fazer com que os fretes cheguem ao destino no menor tempo possível".

   "Como gestora de uma equipe de cinco vendedores, eu treino e motivo meu pessoal para ultrapassar as metas de venda".

   "Procuro atualmente uma posição correspondente aos dez anos de experiência que tenho na elaboração de manuais técnicos que garantem a operação segura e eficaz de equipamentos de laboratório".

2. Procure orientar suas realizações utilizando o modelo PAR: problema–ação–resultado. Por exemplo: "Identifiquei problemas de deficiência do sistema e recomendo soluções que poderão reduzir os custos de operação da empresa".

NOVA CONDUTA

Erro 47

Usar apenas seu apelido ou seu primeiro nome

Quando foi a última vez que você ouviu um alto executivo ser chamado pelo diminutivo ou pelo apelido? Não concordo com isso. O diminutivo de *qualquer* coisa reduz sua importância. Todos os apelidos e diminutivos são usados como uma forma carinhosa de tratar as crianças. Para os adultos, eles têm o mesmo propósito, mas a maioria dos homens os descarta durante a adolescência. Laura Bush, a esposa do presidente norte-americano, talvez o chame de *Georgie*, mas com certeza nenhum de seus assessores faz o mesmo.

Uma coisa que sempre me surpreende, entretanto, é observar a freqüência com que as mulheres se apresentam dizendo o nome completo apenas para ser chamadas, minutos depois, pelo diminutivo. Teresa, uma cliente minha, me contou que, logo depois que se apresenta às pessoas, elas passam a chamá-la de *Terri*. "Nunca ouvi ninguém trocar Jim por *Jimmy*", comentou.

Quando ouço uma mulher deixar um recado na secretária eletrônica citando apenas o primeiro nome, eu me pergunto por que teria descartado seu sobrenome. É raro que um homem faça isso. Isso faz uma diferença sutil, mas significativa. Se você usar apenas seu primeiro nome, ficará relegada, mais uma vez, à condição infantil. Pergunte o nome de uma criança e ouvirá, quase sempre, apenas o apelido ou o primeiro nome. O nome completo, bem pronunciado, abre caminho para a idade adulta.

Recomendações

1. Mesmo que você tenha sido chamada durante a vida toda de *Beth*, *Rô* ou *Cris*, comece a apresentar-se às pessoas dizendo seu nome completo. Elas se acostumarão, com o tempo, a chamar você assim. Mude seus cartões de visita e a placa de sua mesa ou sala para *Elizabeth*, *Rosely* ou *Cristina*. Você será mais respeitada se não usar seu apelido para fins profissionais.
2. Use sempre seu nome completo quando se apresentar em mensagens gravadas, cartas e *e-mails*.
3. Se as pessoas a chamarem pelo diminutivo, corrija-as sutilmente, repetindo o nome pelo qual você prefere ser tratada.

NOVA CONDUTA ☐

Erro 48

Esperar que notem você

Durante uma demissão em massa na empresa onde trabalhava, Jaqueline desejava desesperadamente manter sua posição ou ser transferida a outro setor – desde que permanecesse no emprego. Sabia que os diretores, a portas fechadas, tomavam decisões a respeito de quem ficaria e de quem seria dispensado. Enquanto ela esperava, ansiosa, por seu destino, sugeri que não teria nada a perder se procurasse seu chefe e o gerente de recursos humanos e demonstrasse seu desejo de continuar na firma. Foi como se eu sugerisse que ela deveria atravessar, completamente nua, o andar da diretoria. Jaqueline não só era incapaz de acreditar que um pedido seu pudesse fazer diferença como também não conseguia se imaginar entrando na diretoria e falando com a alta administração da empresa.

A atual tendência das organizações à redução do número de funcionários e ao enxugamento de despesas excessivas gerou a necessidade de chamar positivamente a atenção para a competência pessoal – *antes* que essas medidas sejam tomadas. Quando se trata da manutenção de seu emprego diante de tantos cortes, a questão se resume à capacidade de fazer valer o fato de que sua marca pessoal será indispensável ao novo formato da empresa.

No que se refere ao enxugamento das organizações, a escassez de oportunidades de ascensão confere enorme valor aos encargos e aos projetos que proporcionam visibilidade ou treinamento especializado. Os que recebem essas oportunidades são quase sempre aqueles que sutilmente (ou nem tanto) chamam a atenção por seus pontos fortes, que em geral atendem às necessidades do novo estilo de trabalho. A atitude passiva de esperar que notem suas qualidades não a levará aonde quer chegar. Você deve conhecer sua marca pessoal e torná-la bem visível quando a oportunidade surgir. As mulheres, principalmente aquelas que não têm a habilidade de "vender" uma imagem positiva, são preteridas com muita freqüência – não por falta de capacidade, e sim devido à modéstia ou à crença errônea de que suas qualidades serão eventualmente notadas.

Recomendações

1. Se surgir a promoção ou o projeto que você está esperando, *peça* que lhe dêem a oportunidade de candidatar-se.
2. Quando você estiver preparada para uma promoção, comente isso *em alto e bom som*. As pessoas devem saber que está pronta para um novo desafio. Quanto maior for o número de pessoas que souberem disso, mais probabilidades você terá de ser avisada quando surgir uma chance.
3. Mostre *sempre*, de forma sutil, todas as suas realizações. Uma boa sugestão é preparar um relatório semanal ou quinzenal das coisas que você ou seu departamento realizam. Outra boa medida é comunicar seus sucessos na forma de "práticas recomendáveis". Durante uma reunião, por exemplo, você pode contar a seus colegas a maneira como conseguiu solucionar um problema ou superar um obstáculo que ameaçava seu desempenho.
4. Elabore um plano de marketing pessoal. Visualize o futuro que deseja para sua carreira e *anote as medidas específicas* que pretende tomar para torná-lo realidade.
5. Invista seu tempo em aprendizado, *feedback* e treinamento pessoal e faça coisas diferentes daquelas em que já tem habilidade. Isso vai preparar você para aceitar oportunidades ou desafios inesperados.

NOVA CONDUTA ☐

Erro 49

Recusar tarefas de destaque

A diretora de operações da pequena subsidiária de uma empresa sediada em Los Angeles foi convidada a participar do comitê executivo da organização. Ela se queixava, havia muito tempo, da falta de reconhecimento de seus esforços quando evitara uma operação altamente custosa para a empresa. O convite demonstrou não apenas seu valor para a própria divisão como também a qualidade de sua contribuição para toda a companhia. E o que fez ela? *Simplesmente recusou a oportunidade* porque participara de muitas reuniões do comitê no passado e as considerava uma "grande perda de tempo". Ao ouvir isso, não pude evitar as palavras que brotaram de minha boca: "Deixe de ser uma garota!" Sem ver as oportunidades futuras, ela reagira de acordo com os valores aprendidos na infância – trabalhar muito e não desperdiçar o tempo nem o dinheiro da empresa.

As chances de demonstrar sua capacidade na execução de uma tarefa de destaque não se limitam ao convite, sem dúvida elogioso, para fazer parte do comitê executivo de sua empresa. Pedidos para atuar como facilitadora de uma reunião importante, fazer uma apresentação a um cliente preferencial ou à alta administração são exemplos de tarefas relevantes que não podem ser recusadas.

Sei que nosso valor é muitas vezes subestimado, que as reuniões parecem durar uma eternidade e que as apresentações a clientes significam muito trabalho e alguns riscos. Mas sei também que você deve usar essas oportunidades para exibir seus talentos e desenvolver boas relações com as pessoas que tomam decisões importantes na empresa. Lembre-se: 90% do sucesso tem origem na visibilidade!

Recomendações

1. Quando receber um convite para participar de uma reunião ou de um evento importante, aceite. Se você não tiver tempo, arranje. É um investimento em seu futuro.
2. Se lhe oferecerem uma posição ou uma tarefa nova, *aceite*. Se outras pessoas têm confiança em sua capacidade, *você também deve ter.*
3. Solicite a gestão de projetos potencialmente arriscados, mas importantes. Sem luta não há vitória.
4. Ofereça-se como voluntária para fazer apresentações à alta administração de sua empresa. Os benefícios sempre compensam os riscos, e você jamais aprenderá a fazê-las se não começar. Tornar-se visível para a alta direção é essencial ao sucesso.
5. Lembre-se de que, no ambiente de trabalho, os altos executivos são seus clientes. É necessário, portanto, participar de situações em que possa identificar e atender às necessidades deles para servi-los bem.

NOVA CONDUTA ☐

Erro 50

Ser modesta

Meninos e meninas aprendem desde cedo o valor da modéstia, mas na idade adulta as mulheres levam essa lição *muito* mais a sério. Existe, no entanto, a ocasião e a hora certas para exibir essa virtude. Se você acaba de mover montanhas e fazer milagres para executar um projeto, essa não é a ocasião nem a hora de ser modesta. Quando as pessoas deixam de notar alguma coisa importante que você realizou, *é sua tarefa* chamar a atenção delas. Fazer com que seus trabalhos pareçam fáceis demais, quando na verdade lhe exigiram um esforço tremendo, não é uma boa tática de marketing pessoal.

Helena é um exemplo perfeito do excesso de modéstia. Como diretora da área de desenvolvimento executivo da empresa, ela e sua equipe são responsáveis pela gestão de avaliação de desempenho, pela elaboração de programas individuais de desenvolvimento para cada membro da gerência e pelo treinamento dos executivos. Quando a companhia em que trabalhava se coligou a outra empresa, seu volume de trabalho praticamente dobrou, embora a equipe continuasse a mesma. Apesar de tudo isso, ela encontrou formas criativas de executar suas tarefas apenas com as pessoas de que dispunha.

Durante a revisão anual de desempenho, o chefe de Helena recompensou-a por seu esforço extra e concedeu-lhe uma generosa bonificação. Feliz com o reconhecimento de seu trabalho, ela respondeu com modéstia: "Na verdade, não fiz nada além de meu dever". Helena comparecera àquela reunião decidida a falar da necessidade de ampliar sua equipe, mas, ao ser elogiada e receber o prêmio, perdeu a presença de espírito e não conseguiu aproveitar o momento para fazer o marketing pessoal oportuno e merecido. Em conseqüência de sua modéstia, teve de recorrer a outra estratégia para aumentar a equipe, pois, conforme ela mesma disse, "apenas cumprira seu dever".

Recomendações

1. Elimine total e permanentemente de seu vocabulário a frase "não fiz nada além de meu dever".
2. Quando relatar resultados, dê a eles a importância que merecem. Helena deveria ter dito: "Foi preciso que todos os membros da equipe trabalhassem muitas horas além do expediente e também durante os fins de semana, mas tenho orgulho do resultado que alcançamos e estou contente com esse reconhecimento".
3. Quando receber um elogio, encare a pessoa nos olhos e diga apenas "obrigada". Não desmereça seus esforços – nem os de sua equipe.
4. Comunique a seu superior direto os elogios e o reconhecimento que você receber por seu trabalho.
5. Não esconda prêmios nem placas que possa ter ganho – pelo contrário, deixe-os bem à vista.
6. Mantenha um "arquivo de méritos", isto é, guarde e organize as provas de realizações das quais você se orgulha: notas de agradecimento, avaliações de desempenho e coisas do gênero. Releia esse arquivo toda vez que começar a duvidar de si mesma.

NOVA CONDUTA ☐

Erro 51

Permanecer na zona de conforto

Perguntei certa vez a um homem por que se candidatara para determinada função se sabia não ter as qualificações necessárias para exercê-la. Sua resposta foi simples: "Sou esperto, posso aprender". As mulheres tendem a permanecer muito tempo na mesma função porque temem o fracasso. Se não tiverem plena certeza e segurança de sua capacidade de atender a todas as expectativas de um novo trabalho, elas não correrão riscos. Em geral os homens são mais ousados nesse aspecto – enfrentam os desafios para provar que são capazes de vencê-los.

No mercado de trabalho atual, vemos aqueles que ficam durante muito tempo numa só função da mesma forma que julgávamos antigamente os desempregados crônicos – como se houvesse alguma coisa errada com eles. Longas permanências no mesmo cargo dão a impressão de acomodação e às vezes de defasagem com relação aos avanços tecnológicos da área. As mulheres recusam até mesmo atividades para as quais foram escolhidas se julgarem não ter as qualidades necessárias para executá-las. Esse é um *grande* erro. Não há maneira mais radical de ser excluída da lista de candidatos a futuras promoções do que recusar uma oferta desse tipo – e não há responsabilidade maior que uma boa oportunidade.

Ironicamente, nem as pessoas mais acomodadas, que jamais deixam sua zona de conforto, sentem admiração, e muito menos respeito, por aqueles que fazem o mesmo. Quase todos nós consideramos carismáticas as pessoas entusiastas, que correm riscos e adotam atitudes diretas e leais, e gostaríamos de seguir seu exemplo.

Recomendações

1. Procure mudar para uma nova função (observando o aumento gradativo do nível de responsabilidades) a intervalos de três ou, no máximo, cinco anos.
2. Não permita que seu medo do fracasso faça você recusar funções que poderia executar muito bem com algum treinamento.
3. Atualize-se com os avanços de seu campo de atividade freqüentando cursos e lendo livros especializados. Deixar de aprender é deixar de crescer.
4. Apresente-se como voluntária para realizar tarefas que desafiem suas habilidades ou lhe ensinem coisas novas, que poderão enriquecer seu currículo. Se você estiver disposta a correr o risco, embora calculado, de cometer uma falha, saiba que não é antiético o ditado que diz que o melhor modo de aprender é fazer.
5. Assim que assumir uma nova função, comece a procurar a próxima. Talvez você até permaneça vários anos no mesmo cargo, mas uma atitude aberta às possibilidades lhe dará uma visão concentrada e proativa do mercado de trabalho.

NOVA CONDUTA

Erro 52

Deixar que roubem suas idéias

Quero contar uma história muito comum. Mulher tem idéia. Mulher explica a idéia. A idéia é ignorada. Homem explica a mesma idéia. Homem ganha promoção. De quem é a culpa? Da mulher. Por quê? Porque ela permitiu que roubassem sua idéia sem protestar nem fazer valer a verdade. Por que a mulher age assim? Porque não tem autoconfiança para dar início a uma disputa e não quer parecer egoísta, parcial nem acintosa, assim como não quer que a julguem por falta de espírito de equipe. Cada vez que aceita uma injustiça, você abre mão de uma fatia de auto-respeito. Se fizer isso com freqüência, sua autoconfiança desaparecerá.

Não cometa o erro de deduzir que suas idéias são desconsideradas porque você é mulher. Tenho acompanhado reuniões em que as idéias femininas são ignoradas pelas razões mais simples: as participantes não falaram alto o suficiente para ser ouvidas, comentaram seus conceitos, em voz baixa, com o colega mais próximo, que os mencionou como se fossem dele, ou escolheram o momento errado para falar. Situações como essas ocorrem com freqüência.

Não se trata apenas da questão de não permitir que roubem suas idéias; trata-se principalmente da questão de encontrar uma forma de "vendê-las". Suas idéias são valiosas nesse mercado chamado trabalho. Toda vez que uma sugestão sua for implementada, é como se você fechasse uma "venda". Se fizer muitas "vendas", você estará em condições de colecionar outros tantos créditos que poderão ser sutilmente trocados no futuro por favores, apoio ou promoções.

Recomendações

1. Adquira o hábito de fazer uma pergunta depois de expor uma idéia. Diga, por exemplo: “Devemos priorizar nossas soluções e escolher as duas principais para implementação imediata. Alguém tem alguma objeção a fazer?” Essa atitude reforça a probabilidade de aceitação e discussão de suas idéias.
2. Quando alguém propuser a mesma coisa que você já sugeriu (embora com algumas ligeiras diferenças), chame a atenção para o fato e comente: “Parece que você está desenvolvendo minha idéia original, e eu com certeza vou lhe dar meu apoio”.
3. Fale em tom suficientemente alto para ser ouvida.
4. Em vez de procurar auto-afirmação comentando sua idéia, em voz baixa, com o colega mais próximo, assuma o risco de expô-la a todos com objetividade e confiança.
5. Escreva suas idéias sempre que for possível. Palavras escritas inspiram mais credibilidade do que simples palavras faladas, além de fazerem lembrar a pessoa que as elaborou. A palavra escrita ainda é uma das formas mais poderosas de comunicação, e a reação de muitos será bem mais favorável se puderem “ver” o que você está dizendo.

NOVA CONDUTA

Erro 53

Trabalhar em funções ou setores estereotipados

Durante mais de vinte anos tenho observado mulheres que exercem funções tipicamente femininas – assistentes administrativas, funcionárias de departamento pessoal e secretárias – freqüentarem aulas noturnas para conquistar um diploma universitário na esperança de conseguir promoções na empresa em que trabalham. Tenho visto também outras mulheres, já com seu diploma universitário, entrarem no mercado de trabalho em funções estereotipadas, muito aquém de suas qualificações, na tentativa de serem notadas e promovidas. Infelizmente, poucas foram bem-sucedidas nessas circunstâncias. A permanência nesse "gueto feminino" gera uma marca pessoal que denota incapacidade de exercer funções mais altas. Isso está certo? É claro que não.

Observe a empresa em que você trabalha. Existem departamentos desse tipo lá? O setor de recursos humanos e o de pessoal recaem com freqüência nessa categoria. O fato de haver maior número de mulheres do que de homens em atividades como enfermagem e ensino fundamental explica por que os salários pagos nessas áreas são mais baixos – salários que não valem o esforço das profissionais.

Você está nessa situação? Em caso positivo, seu *status* será inferior ao de suas colegas que pertencem a departamentos onde o número de mulheres equivale ao de homens. Um bom exemplo disso pode ser observado no setor bancário. A função de caixa tinha mais prestígio enquanto foi ocupada predominantemente por homens. À medida que um número crescente de mulheres passou a exercê-la, os salários declinaram e a função perdeu prestígio. A verdade é que uma longa permanência em cargos "tipicamente femininos" pode estreitar muito os limites do marketing pessoal de qualquer mulher, por mais capacitada que ela seja.

Recomendações

1. Procure funções em departamentos ou áreas em que o número de homens e de mulheres seja equivalente.
2. Se lhe oferecerem uma função estereotipada, avalie se os benefícios de longo prazo ultrapassam as vantagens de curto prazo.
3. Nunca se ofereça para servir café nem para tirar cópias durante uma reunião. Se lhe pedirem isso, sugira um rodízio dessa tarefa com base na hierarquia (veja também o erro 89).
4. Se, para sair de uma função estereotipada, você tiver de passar por cursos e treinamentos, *faça isso.* Vale a pena investir em seu futuro.
5. Se, depois de concluir os cursos e treinamentos necessários a uma promoção, os resultados não surgirem, é provável que você já tenha recebido o "carimbo" de funcionária do "gueto". Nesse caso, será melhor procurar emprego em outra empresa.

NOVA CONDUTA ☐

Erro 54

Ignorar o que dizem de você

Existe uma espécie de "opinião pública" sobre todos nós. Ela consiste naquilo que as pessoas dizem às nossas costas ou quando saímos da sala. Você precisa conhecer esses comentários se quiser que seu marketing pessoal seja eficaz. A maioria quase sempre ignora esse *feedback* (na esperança de que desapareça) ou o subestima com uma frase do tipo: "Trata-se apenas da opinião de uma pessoa". Mas a percepção se confunde com a realidade. Os outros não conhecem você por suas intenções, eles a conhecem por seu comportamento. É possível explicar ou justificar suas atitudes, mas isso não resolve os problemas provocados por uma marca pessoal que contraria as expectativas dos clientes. Mais cedo ou mais tarde, as pessoas deixarão de acreditar em você. Conforme dizemos a nossas clientes: "Quando três pessoas disserem que você está embriagada, é melhor deitar-se".

Recomendações

1. Peça ao RH para fazer uma avaliação 360 graus. Isso permitirá que você se veja como os outros a vêem, o que lhe dará a oportunidade de corrigir seus pontos fracos.
2. Peça regularmente *feedback* a seu chefe – isso facilitará as coisas para ele e para você.
3. Quando receber *feedback*, reaja com uma pergunta tranqüila, que não denote atitudes defensivas: "Pode me dar mais detalhes sobre a maneira e o momento em que eu faço isso?" Evite explicações dos motivos de seu comportamento.
4. Quando o resultado do *feedback* for contundente, peça algum tempo para pensar no assunto. Se você precisar de esclarecimentos, procure a pessoa e solicite-os no momento em que puder fazer isso sem reações emocionais.
5. A maioria das pessoas se mostra relutante em fornecer *feedbacks* honestos. Por isso, quando receber um, considere-o um presente.
6. Se você solicitar *feedback*, isso implica a intenção de fazer alguma coisa com ele. Diga às pessoas que pretende usá-lo para corrigir os pontos fracos e desenvolver os pontos fortes do setor. Essa atitude chamará a atenção delas para qualquer mudança positiva que você implementar.

NOVA CONDUTA ☐

Erro 55

Ficar invisível

Uma jovem foi avisada pela universidade onde havia estudado de que estava entre os alunos escolhidos para fazer o discurso de formatura. Durante a conversa, o reitor disse que provavelmente seria a oradora oficial de sua turma, mas ela respondeu: "Meu Deus, espero que não!" Embora estivesse honrada pela distinção, preferia ficar invisível, numa reação tipicamente feminina. Observo o mesmo comportamento entre as mulheres que trabalham. Quando os funcionários são convidados a fazer uma apresentação à alta administração da empresa, as mulheres relutam muito mais que os homens em aceitar a tarefa e, se mesmo assim forem escolhidas, em geral elas a delegam a um colega.

Atuo como facilitadora de um programa de liderança (para homens e mulheres) no qual os participantes, que trabalham na mesma empresa, se reúnem em pequenos grupos para solucionar um problema real enfrentado por sua organização. Usando um modelo específico, eles devem encontrar uma solução que abranja a identificação e as causas do problema, além de elaborar recomendações para superá-lo e depois apresentar o resultado de seu trabalho à alta administração. No dia do encerramento do programa, a diretoria da empresa é convidada para assistir à apresentação e comentar a viabilidade das soluções sugeridas. Muitas vezes o produto final desse trabalho é tão bom que as sugestões são logo incorporadas ao plano de negócios da companhia.

As mulheres que participam desse programa tornam-se, inevitavelmente, as "abelhas operárias" do grupo. Elas assumem todas as tarefas práticas para não desviar a atenção dos colegas homens, preparam a apresentação em PowerPoint e verificam se todas as opiniões foram ouvidas e levadas em consideração. Mas, no momento de escolher quem fará a apresentação, seu comportamento é outro, e elas se retraem. Em quase vinte anos, não consigo lembrar uma só vez em que uma mulher tenha tomado a liderança da apresentação. Pelo contrário, elas costumam indicar o colega mais comunicativo para a tarefa.

As mulheres já são bem invisíveis num mercado de trabalho dominado pelos homens – não é preciso que se esforcem para não ser notadas! Mas há situações ideais para demonstrar sua marca pessoal, portanto não as dê gratuitamente a um competidor – ainda que ele seja seu colega ou amigo.

Recomendações

1. Apresente-se como voluntária para participar das reuniões de seu departamento.
2. Proponha a sua chefia uma apresentação feita por você quando houver um encontro de associações profissionais de sua área de atividade.
3. Escreva artigos para jornais locais ou de sindicatos sem esquecer, é claro, os jornais e as circulares da empresa em que você trabalha.
4. Quando sua chefia procurar voluntários para fazer apresentações à alta administração, não deixe escapar a oportunidade.
5. Não se permita ficar invisível durante as reuniões de trabalho. Dar voz a suas idéias é uma excelente forma de "vender" sua marca pessoal.

NOVA CONDUTA

capítulo 6

Como você fala

Há uma praga chinesa que aflige muitas mulheres: "Que você possa ter uma idéia maravilhosa, mas não seja capaz de convencer ninguém a acreditar nela". As melhores idéias cairão em ouvidos surdos se não forem expostas de forma que inspire confiança e credibilidade. Este capítulo não se refere ao conteúdo de suas mensagens, e sim às palavras que você escolhe, ao tom de sua voz, ao modo pausado ou rápido com que você fala e à maneira como organiza seus pensamentos. Cada um desses fatores tem um peso em sua atuação profissional: convincente, autoconfiante e competente – ou não.

Nas próximas páginas, discutiremos esses fatores e demonstraremos a linguagem específica que você deve praticar. Repita em voz alta algumas recomendações apresentadas neste capítulo. Dessa forma, você terá uma noção mais precisa do efeito que produzem. Evite a tendência de descartar as sugestões mais difíceis para você, pois podem ser justamente as mais necessárias. Lembre-se de que, tanto quanto a aparência, a maneira de falar é um dos fatores mais representativos da credibilidade no ambiente de trabalho.

Erro 56

Perguntar em vez de afirmar

O erro mais comum que as mulheres cometem é fazer uma pergunta como forma segura de expressar uma idéia sem parecer diretas nem agressivas demais. Essas perguntas em geral são: "O que você acha se nós fizermos isso?" ou "Você já pensou nisso?" Perguntar em vez de afirmar é uma atitude que faz parecer que estamos renunciando à autoria da idéia e a seus resultados. Veja o exemplo do diálogo abaixo:

Ana: Você acha que devemos aumentar o orçamento de desenvolvimento deste ano para atender a necessidades imprevistas, mas importantes?

Peter: Não, acho que devemos aumentar o orçamento de marketing. Precisamos criar negócios primeiro e pensar nas necessidades depois.

Ana: É verdade, mas temos de estar preparados para atender às necessidades conforme a demanda, e isso requer fundos de desenvolvimento.

Peter: Então por que perguntou?

Se fizer uma pergunta para camuflar uma afirmação, o efeito será o mesmo de tentar ensinar um porco a cantar – você ficará frustrada e o porco se aborrecerá. Se estiver preocupada com a possibilidade de parecer agressiva ou dominadora, use uma linguagem mais suave – mas evite a qualquer custo transformar uma afirmação em pergunta.

Recomendações

1. Use frases afirmativas para expor uma idéia. Interrompa-se toda vez que começar a expressar sua opinião na forma de uma pergunta e recomece com uma afirmação.
2. Reserve suas perguntas para as ocasiões em que realmente precisar de uma informação ou estiver interessada na opinião de alguém.
3. Exponha suas idéias de maneira afirmativa: "Proponho que nós nos preparemos para necessidades imprevistas destinando a maior parte do orçamento ao setor de desenvolvimento". Mesmo que alguém discorde, você estará em posição muito mais favorável para defender sua proposta.
4. Depois de propor sua idéia de forma afirmativa, diga: "Estou interessada na opinião de vocês". Essa frase evitará que as outras pessoas a julguem agressiva e também que você pareça insegura.

NOVA CONDUTA ☐

Erro 57

Fazer rodeios

Preâmbulo é um conjunto de palavras e expressões mais ou menos vagas que usamos antes de abordar o assunto principal (o popular "fazer rodeios"). Parece um arquivo em desordem. Quando a desordem é muito grande, você não consegue ver o conteúdo do arquivo. Acontece o mesmo com as palavras. Quanto mais palavras você usar, mais confusa se tornará sua mensagem – e será muito provável que as pessoas não a entendam nem prestem atenção nela.

Por medo de parecer diretas e agressivas demais, as mulheres usam preâmbulos para suavizar suas mensagens. Como você reagiria diante do preâmbulo apresentado abaixo?

> "Você sabe, eu estava pensando no problema de produtividade que enfrentamos. A propósito, tenho conversado sobre isso com algumas pessoas também. Muitas delas têm a mesma preocupação com a queda de produtividade nos últimos trimestres, portanto eu não sou a única a pensar assim. Para dizer a verdade, o problema talvez tenha surgido antes dos últimos trimestres. Faz tempo que sabemos disso, mas não conhecíamos as proporções exatas do problema. De qualquer forma, todos temos tentado encontrar uma solução, e eu penso que talvez tenha tido uma boa idéia. Não estou dizendo que é a melhor nem a única idéia – apenas que é uma idéia. Na verdade, outras pessoas também tiveram idéias, mas acho melhor deixar que elas mesmas exponham isso a você. Veja, minha idéia envolve..."

E qual é mesmo o assunto? O lema dessa funcionária deve ser: "Por que devo usar poucas palavras se há tantas para dizer?" A mesma mensagem poderia expressar mais força e confiança com apenas um décimo das palavras usadas no preâmbulo:

"Temos lutado com a questão da produtividade já faz algum tempo, e agora trago uma proposta para solucionar o problema".

Recomendações

1. Prepare-se quando quiser dizer alguma coisa. Organize seus pensamentos antes de abrir a boca, fazendo a você mesma duas perguntas simples: "Qual é o tema principal de minha mensagem? Quais são os dois ou três pontos que meu ouvinte deve levar em consideração?"
2. Adote o lema "concisão significa confiança". Se sua mensagem for muito importante, ensaie e aprimore-a usando o menor número possível de palavras.
3. Combine frases afirmativas com mensagens curtas: "Proponho uma análise funcional para determinar as causas e implementar as soluções do problema de redução de produtividade nos três ou quatro últimos trimestres".

NOVA CONDUTA ☐

Erro 58

Explicar demais

O contraponto do preâmbulo é a explicação longa demais. Depois de *finalmente* chegar ao ponto, a pessoa que fez o preâmbulo estraga tudo com uma explicação ainda mais longa, pois isso causa a "fuga" mental de todos os ouvintes. A combinação de preâmbulos e de longas explicações é letal. Por que as mulheres cometem essa falha mais que os homens? Existem algumas razões. Um número maior de palavras suaviza a mensagem, pois é pecado mortal que uma mulher pareça muito poderosa. Outra razão: tememos que nossa mensagem não esteja clara nem completa e assim, no esforço de atingir a "perfeição", continuamos a falar. Mais uma razão: nossas afirmações são desconsideradas com freqüência, por isso falamos muito para obter algum retorno. Finalmente, tentamos compensar com palavras a nossa insegurança. Acreditamos que mais palavras terão efeito melhor, quando na verdade esse efeito é *oposto*.

Vamos voltar ao preâmbulo do erro anterior e compará-lo com a longa explicação seguinte:

> "(...) Não estou dizendo que é a melhor nem a única idéia – apenas que é uma idéia. Na verdade, outras pessoas também tiveram idéias, mas acho melhor deixar que elas mesmas exponham isso a você. Veja, minha idéia envolve uma espécie de pesquisa de ambiente. Você sabe, um tipo de pesquisa em que procuramos os funcionários e fazemos a eles perguntas sobre os processos de trabalho, o grau de satisfação com suas funções, o relacionamento com os supervisores e assim por diante. Muitas empresas estão fazendo isso atualmente. Podemos inclusive recorrer a um consultor externo ou ao pessoal da casa. Se você concordar, eu estaria disposta a verificar a melhor ma-

neira de fazer essa pesquisa. Mas, se preferir, você pode formar uma força-tarefa para avaliar as opções. Por outro lado, se você quiser, eu mesma farei a avaliação das opções e as trarei para sua aprovação".

Como eu disse... é letal.

Recomendações

1. Reduza suas explicações entre 50% e 75%.
2. Quando abordar o assunto principal, mencione apenas duas ou três informações que dêem respaldo a seus argumentos e depois fique calada. Se você procura apoio e reconhecimento, essa pausa será a deixa para que os ouvintes digam alguma coisa.
3. Veja em seguida um exemplo de como ficaria a mensagem se você seguisse todas as sugestões:

   "Proponho fazer uma análise funcional para determinar as causas e as soluções do problema da queda de produtividade nos três ou quatro últimos trimestres. Os resultados indicarão nossos pontos fortes, os erros que temos cometido e o que devemos fazer para corrigi-los. Estou disposta a conduzir essa análise. Você quer acrescentar alguma coisa?"

4. Resista à voz interna que lhe diz que a mensagem está *incompleta*. Não é necessário dizer tudo o que você sabe sobre um assunto. Conforme seu nível de conhecimento, a mensagem talvez esteja incompleta para você, e não para as demais pessoas. Esse é um caso em que menos é mais.

NOVA CONDUTA

Erro 59

Pedir permissão

Você já notou que os homens não pedem permissão para nada? Eles pedem perdão. Acho que as mulheres pedem permissão mais em razão do hábito que da necessidade real de obtê-la. Essa é uma variação do vício de fazer perguntas em vez de afirmar, mas revela-se potencialmente mais prejudicial. Em nossa cultura, compete às crianças, e não aos adultos, pedir permissão. Cada vez que uma mulher pede permissão para fazer ou dizer alguma coisa, sua imagem fica diminuída – até ser relegada à condição infantil. Essa atitude também a expõe a um "não". Se pedirmos permissão para agir, não correremos o risco de que nos acusem pelos erros que cometermos, mas também não seremos admiradas por nossa ousadia e coragem de correr alguns riscos reais.

As mulheres pedem permissão para fazer coisas tão simples quanto tirar um dia de folga ou tão ridículas quanto usar a verba do departamento em determinado serviço autorizado anteriormente. Nunca poderei esquecer uma cliente que se queixava porque o pedido de um dia de folga para seu pessoal fora recusado, enquanto um colega levara a equipe para uma excursão de três dias num *resort* local. Quando perguntei a ela por que pedira permissão ao chefe para dar um dia de folga aos membros de sua equipe, admitiu que desejava, com essa atitude, ser politicamente correta. O chefe, entretanto, respondeu que preferia não dar essa folga. Mais tarde, ela perguntou ao colega como conseguira a aprovação do chefe para sua excursão. A resposta foi: "A idéia de perguntar a ele nem sequer me ocorreu".

Qualquer que seja sua posição, você está autorizada a tomar iniciativas próprias dentro de certos limites. É preciso identificar esses limites, esclarecê-los com seu chefe e manter-se dentro deles. De assistentes administrativas a gerentes de departamento, tenho visto muitas mulheres que não fazem um só movimento sem antes pedir permissão. Acredite, seu chefe quer e espera que você tome iniciativas razoáveis. Para isso, entre outras coisas, você é paga: facilite, portanto, o trabalho dele.

Recomendações

1. *Informe* as pessoas de suas intenções, não peça permissão. Informá-las demonstra respeito por seu direito de saber o que você faz – sem, contudo, submeter *suas* ações à aprovação *delas*.
2. Presuma que haja igualdade no ambiente de trabalho.
3. Transforme isto: "Será que você não teria problema em permitir que eu trabalhe em casa amanhã? Preciso aguardar a entrega de uma encomenda ao meio-dia" nisto: "Só quero avisá-lo de que vou trabalhar em casa amanhã. Espero uma encomenda".
4. Você deve supor que, se houver problemas com aquilo que diz, as pessoas a avisarão disso. A partir daí, poderá negociar uma posição de maior força.
5. Se as frases afirmativas forem difíceis para você, suavize sua mensagem com outra frase. Em vez de pedir permissão, diga: "Pretendo preparar um relatório das necessidades e preocupações de nossos clientes. Quando estiver pronto, gostaria de ouvir seus comentários antes de mostrá-lo aos interessados".
6. Não caia, por sua vez, na armadilha de responder a afirmações camufladas de perguntas ou você se envolverá em um duelo verbal.
7. Uma pergunta legítima é aquela que você faz quando pede uma informação que não tem ou quer saber algo que desconhece. Você pode e deve fazer perguntas pertinentes, mas evite alongar-se. Fique atenta à linguagem corporal de seus colegas, que pode indicar impaciência, e seja breve. Faça outras perguntas em particular.

NOVA CONDUTA

Erro 60

Desculpar-se demais

Certa vez eu assistia a uma entrevista do golfista Tiger Woods logo após sua derrota num torneio importante. O repórter expressou sua simpatia comentando que o dia fora ruim e ele perdera algumas tacadas fáceis, pois por alguma razão não estivera à altura de seus padrões habituais. A resposta do atleta foi: "Eu não joguei mal. O vento e as condições estavam contra mim hoje". Essa foi uma forma de lembrar que, mesmo diante de erros óbvios e de um desempenho ruim, os homens sempre negam ou minimizam seus erros em vez de assumir a responsabilidade por eles ou desculpar-se.

As mulheres podem aprender uma lição com essa atitude. O hábito de pedir desculpas por erros involuntários e banais desgasta nossa autoconfiança e, em conseqüência, a confiança que os outros têm em nós. Mesmo que cometam erros insignificantes, como tropeçar em alguém na rua ou chegar ao escritório com alguns minutos de atraso, as mulheres tendem a desculpar-se muito mais que os homens. É como uma segunda natureza para nós, e muitas vezes fazemos isso para não apontar a verdadeira causa do problema – a incapacidade de comunicação da outra pessoa. É uma tática para evitar conflitos que, no entanto, nos faz parecer culpadas quando de fato não somos.

Vou dar o exemplo de uma cliente que se queixou porque seu chefe acabara de censurá-la por não o ter avisado de uma reunião à qual ele queria comparecer. Na verdade, ela enviara um *e-mail* para avisá-lo da reunião, mas ele não o leu. Quando perguntei como se saíra da situação, notei certo tom de orgulho em sua resposta. Como já havíamos conversado sobre a tendência que as mulheres têm de desculpar-se, ela não quis fazer isso. Pelo contrário, educadamente, disse ao chefe: "Enviei-lhe o *e-mail* no mesmo dia em que recebi a informação. Se preferir que, de hoje em diante, eu verifique se leu suas mensagens, farei isso com satisfação".

Essa foi uma resposta excelente por várias razões. Em primeiro lugar, minha cliente não caiu na armadilha de pedir desculpas pelo que não fizera. Ela comentou comigo que essa atitude a fez sentir-se muito mais forte e menos infantil. Em segundo lugar, haverá algum chefe que goste de ver os funcionários invadirem seu escritório para verificar se ele se lembrou de ler uma montanha de *e-mails?* Na tentativa de manter sua dignidade, a cliente propôs essa alternativa sabendo de antemão que seu chefe não a aceitaria. Com uma atitude muito diplomática, delegou a ele a responsabilidade (óbvia, convenhamos) de ler as próprias mensagens.

Recomendações

1. Comece a contar o número de vezes em que você se desculpa sem necessidade. Reduza conscientemente esse número e guarde suas desculpas para os grandes erros (que não são tantos).
2. Quando você cometer um erro que mereça um pedido de desculpas, faça isso apenas uma vez e em seguida dirija a conversa para a solução do erro.
3. Transforme a tendência de se desculpar numa avaliação objetiva do problema e das formas de corrigi-lo.
4. Combine as recomendações acima com uma frase objetiva como esta: "Baseada nas informações iniciais que me forneceu, não foi possível formar uma idéia de suas expectativas. Diga mais alguma coisa sobre seus objetivos e farei as revisões necessárias".
5. Evite pedidos de desculpas que a coloquem em situação humilhante só porque precisa ter certeza de que as pessoas envolvidas continuam gostando de você. Mantenha-se em condição de igualdade seja qual for o nível de seu interlocutor. Talvez a posição dele seja mais alta que a sua, mas isso não o torna uma pessoa *melhor* que você.

NOVA CONDUTA ☐

Erro 61

Dizer frases modestas

Embora as mulheres não sejam as únicas a utilizar frases modestas, com certeza fazem muito mais uso delas que a maioria dos homens. Palavras ou frases modestas são aquelas que diminuem a importância ou a dimensão de uma realização. A filha de 17 anos de uma de minhas primas disse uma delas recentemente, e isso me fez lembrar que essa "virtude" também é ensinada desde criança em resposta à mensagem "não seja vaidosa nem se vanglorie".

Durante uma reunião familiar, o avô da menina anunciou, orgulhoso, que ela recebera vários prêmios na escola. Quando a elogiei e perguntei que prêmios eram esses, ela respondeu: "Ora, são *apenas* prêmios Golden State". Não tenho idéia do que sejam esses prêmios, mas sei que a menina precisou fazer alguma coisa muito acima da média para merecê-los. Ao pronunciar a palavra *apenas*, ela diminuiu a importância de seu mérito.

O equivalente dessa atitude no ambiente de trabalho é a tentativa de subestimar o sucesso ou de atribuí-lo a outros fatores além de talento, trabalho duro ou conhecimento. Quando recebem algum cumprimento ou elogio por suas realizações profissionais, as mulheres quase sempre dizem coisas como "ora, isso não foi nada" ou "acho que apenas tive sorte". Repita muitas vezes frases como essas e você começará a acreditar nelas.

Recomendações

1. Diga todos os dias esta frase: "Obrigada. Estou contente com os resultados que alcancei". Repita isso muitas vezes – até que as palavras escapem de sua boca em resposta a um elogio.
2. Descreva objetivamente suas realizações sem usar termos vagos. Evite expressões como "eu só estava...", "eu apenas..." ou "fiquei surpresa comigo mesma...".
3. Se você quer ser modesta, diga frases como: "Obrigada. Estou orgulhosa de meu trabalho e quero repartir o crédito com aqueles que me ajudaram ao longo do caminho".

NOVA CONDUTA

Erro 62

Usar expressões vagas

Esse é outro recurso usado pelas mulheres para acalmar seu medo de ser muito incisivas, diretas ou agressivas. Seu propósito é abrandar – e enfraquecer – as mensagens. Apresento abaixo alguns exemplos de expressões vagas:

"Trata-se de uma espécie de..."
"Nós fizemos um tipo de..."
"Talvez devêssemos..."
"Quem sabe seria melhor se..."
"Nós poderíamos..."

Meu Deus, isso é de enlouquecer! Esses comentários inexpressivos e dúbios levam as pessoas a pensar ou perguntar:

"Mas o que significa isso?"
"O que foi mesmo que vocês fizeram?"
"Afinal, nós devemos ou não devemos?"
"Seria melhor ou não?"
"Nós podemos ou não podemos?"

Recomendações

1. Expresse sua opinião com termos claros. Isso não significa falar de maneira pedante, e sim usar linguagem direta e livre de expressões vagas.
2. Se for necessário, use frases conciliadoras para suavizar uma opinião mais forte, sem a invalidar. Diga, por exemplo: "Por todas as razões que mencionei, penso que devemos agir com urgência, sem esperar mais. Estou ansiosa para ouvir os comentários de vocês".
3. Se não estiver segura da situação, faça, agora sim, um breve preâmbulo e mencione as razões pelas quais ainda não se decidiu. Diga algo como: "Tendo em vista os fatos que ocorreram até agora, ainda não estou certa de que devemos avançar tão depressa. Preciso de mais dados antes de tomar a decisão final". Essa é uma frase mais clara e não contém expressões vagas.

NOVA CONDUTA

Erro 63

Deixar uma pergunta sem resposta

Se você deixar uma pergunta sem resposta, pode haver apenas um equívoco, mas em geral o problema é mais sério. Veja o diálogo abaixo entre a vice-presidente de uma empresa e uma de suas assessoras:

Vice-presidente: Você acha que devemos comunicar o prejuízo antecipado do quarto trimestre aos acionistas ou é melhor esperar até termos certeza da cifra exata?

Assessora: Bem, poderíamos contar agora e prepará-los para o balanço do quarto trimestre. Por outro lado, se nós esperarmos, teremos mais credibilidade em termos de números reais. Se contarmos agora, será preciso enfrentar muitas perguntas que ainda não podemos responder. Se esperarmos, os acionistas talvez pensem que queremos esconder alguma coisa. As duas opções têm prós e contras.

De que adiantou perguntar? A vice-presidente já sabe que existem prós e contras e pode mencioná-los tão bem quanto sua assessora. Ela quer uma resposta direta. Meus clientes indonésios (que, independentemente do sexo, se comunicam de forma tipicamente feminina) dão a isso o nome de *basa-basi*, ou seja, "diálogo aguado". As mulheres muitas vezes cometem o erro de "pensar alto" em resposta a uma pergunta direta. Acreditam que é melhor e mais útil citar todas as possibilidades. Mas isso deixa, obviamente, o interlocutor sem resposta. Se você quer saber, eu lhe digo que essa é outra maneira pela qual as mulheres tentam jogar sem riscos. Uma colega minha chama essa atitude de "esconder a evidência". Se existe o momento certo de dizer uma frase claramente afirmativa, esse momento é sem dúvida a resposta a uma pergunta direta.

Recomendações

1. Responda diretamente às perguntas que lhe fazem. Como nos tempos de escola, há apenas quatro tipos de pergunta: verdadeiro-falso, preencha o espaço em branco, alternativa correta e dissertação. A pergunta do exemplo era do tipo alternativa correta: "Devemos dar a informação agora ou esperar?" A resposta deveria ser uma das alternativas ou outra solução, da própria assessora. Nesse caso, a frase poderia começar assim: "Não faremos uma coisa nem outra. Acho que devemos deixar que os resultados falem por si mesmos quando o balanço for publicado".
2. A incapacidade de responder de forma direta e breve pode ter origem no desejo de escolher a resposta "certa", perfeita. Ouço com freqüência, em resposta a uma pergunta do tipo sim ou não: "Mas não posso responder apenas com sim ou não". Ah, sim, você pode! Se estiver disposta a correr algum risco e ser coerente consigo mesma. É melhor errar na tentativa de esclarecer uma dúvida do que começar um "diálogo aguado".
3. Organize suas idéias tendo como base o assunto principal. Tom Henschel, presidente da Essential Communications, ensina os clientes a elaborar mentalmente suas respostas tendo como base o tema central e acrescentando a ele duas ou três informações para reforçá-lo. Uma resposta adequada a nosso exemplo, de acordo com esse modelo, seria: "Sugiro dar a informação agora por duas razões. Acho que é melhor errarmos na tentativa de esclarecer as coisas do que ser acusados por sonegação de informações. Além disso, estamos certos de que haverá prejuízos, mas, caso eles não ocorram, os acionistas ficarão aliviados e nós não perderemos nada".
4. Quando responder a uma pergunta do tipo dissertação, use uma escala numérica para organizar e expressar seus pensamentos, como: "Tenho três idéias..." ou "Há duas soluções que podemos adotar...".
5. Faça um curso de dicção e oratória para aprender a falar bem de improviso. As técnicas de improvisação que vai aprender serão muito úteis para você em inúmeras situações.

NOVA CONDUTA ☐

Erro 64

Falar depressa demais

As mulheres sofrem particularmente com esse problema (veja também o erro 76). Muitas delas, devido à fama de falar demais, sentem medo de desperdiçar o tempo das outras pessoas. Por essa razão, procuram expor com rapidez sua mensagem para não sofrer interrupções, o que pode ser um sinal de que estão falando demais. Esse receio pode levá-las ao exagero. Muito mais do que ocupar espaço físico, a atitude de tomar o tempo necessário para verbalizar nossas idéias é sinal de confiança e poder. Em outras palavras, *temos o direito de ser vistas e ouvidas.*

A credibilidade depende muito da maneira como nos expressamos, portanto, seja qual for o conteúdo de nossa mensagem, é importante demonstrar confiança, precisão e profundidade de pensamento. Se falarmos depressa demais, o efeito será justamente o oposto. Nossos interlocutores terão a impressão de que não merecemos o tempo que nos reservam ou de que nossa mensagem não é importante. A abordagem apressada de qualquer assunto denota falta de clareza e de seriedade – o que dá aos interlocutores o direito de duvidar de nossas palavras e de questioná-las.

Recomendações

1. Cultive a prática de falar moderadamente. Tente falar no ritmo de músicas de andamento normal. Isso pode ajudá-la – desde que você não escolha marchas militares!
2. Se puder, pratique suas falas com uma amiga – ambas terão oportunidade de ouvir e corrigir reciprocamente falhas eventuais, assim como de apontar e aprimorar qualidades.
3. Peça a um amigo ou colega para fazer um sinal discreto caso você comece a falar muito depressa.
4. Diga a si mesma que você tem todo o direito de falar durante o tempo necessário para transmitir sua mensagem – desde que faça isso segundo as sugestões apresentadas acima.

NOVA CONDUTA

Erro 65

Ser incapaz de falar a linguagem de sua profissão

Toda área de atividade tem uma linguagem (ou jargão) característica. Fazemos brincadeiras com expressões como "permaneça na tela do radar", "fundamentos da economia" ou "mudança de paradigma", mas se falharmos no uso desses jargões mostraremos falta de familiaridade com a rotina de nossa profissão. A capacidade de exercer influência vem do conhecimento do campo de trabalho, e uma das melhores formas de testar nossa influência é adotar o jargão próprio da área. As mulheres geralmente supõem que a especialização num *tipo* de trabalho ou função é suficiente para torná-las influentes. Estão enganadas.

Uma antiga colega de trabalho não conseguia entender por que era sempre preterida nas oportunidades de promoção. Suas avaliações de desempenho eram sistematicamente boas e ela recebia muitos elogios pela competência e pelas contribuições que prestava ao departamento. Na tentativa de identificar pessoas de alto potencial, a empresa fazia avaliações periódicas de gestão entre os funcionários de determinado nível. Essa avaliação abrangia alguns testes e uma entrevista com um psicólogo organizacional. Os resultados obtidos por essa colega foram os seguintes: possuidora de inteligência acima da média, habilidosa na solução de problemas e potencialmente boa líder, mas lhe faltava o conhecimento da linguagem usada em funções e departamentos diferentes dos seus.

Você conhece bem a cultura e os indicadores de desempenho adotados por sua empresa? Se ainda não os conhece, está na hora de descobri-los.

Recomendações

1. Assine revistas e jornais especializados em sua área de atividade. Eles não só trazem informações úteis a sua profissão como também apresentam a linguagem própria da área em que você atua.
2. Peça a alguém do departamento financeiro que lhe ensine pelo menos os rudimentos do jargão usado no setor de economia e finanças.
3. Freqüente um curso intensivo de contabilidade para leigos.
4. Comprometa-se a aprender mais administrando suas finanças pessoais e seu orçamento doméstico.
5. Compareça a encontros de associações profissionais.
6. Pesquise sempre para aprimorar-se em seu campo.

NOVA CONDUTA

Erro 66

Repetir palavras ou sons

Esse mau hábito consiste na repetição exagerada de sons ou expressões, e sua finalidade é preencher o silêncio causado pelas pausas dos interlocutores. Essa "poluição" do discurso causa a impressão de insegurança e desconhecimento do assunto. Há a repetição de sons geralmente guturais, como *ah* ou *eh*, ou de palavras inteiras, como *você sabe* ou *entende?*. Qualquer som repetitivo usado para substituir pausas breves torna-se desagradável e desvia a atenção do verdadeiro conteúdo da mensagem que deve ser transmitida.

Se cada som ou palavra que *você* repete enquanto fala fosse transcrito, *ah*, *bem*, nem mesmo você, *ah*, acreditaria no que, *você sabe*, está dizendo, *entende?* Tomar consciência desses vícios, tão desastrosos para a credibilidade de qualquer discurso, talvez seja a parte mais difícil da erradicação dessa falha. Mesmo que se esforce muito para rastrear as repetições que "comete", você provavelmente perceberá apenas um décimo delas.

Recomendações

1. Peça a um colega de confiança que a ajude a identificar a repetição excessiva de sons e palavras enquanto você fala.
2. Estabeleça com amigos ou colegas o hábito de trocar *feedback* em tempo real. Quando estiverem reunidos para tomar café, por exemplo, peça a um deles que estale os dedos cada vez que você abusar da repetição de sons ou palavras.
3. Faça o mesmo pedido a seus familiares. Quanto mais *feedback* receber, mais depressa você ficará livre do hábito.
4. Grave uma apresentação sua, caso haja oportunidade, e verifique sua maneira de falar. Outra boa medida é manter um gravador em sua mesa e registrar todas as conversas telefônicas que fizer. Depois ouça a gravação e conte as repetições de sons e palavras de sua fala.
5. Encare o silêncio das pausas com naturalidade – ele pode converter-se numa poderosa ferramenta de comunicação.

NOVA CONDUTA ☐

Erro 67

Dizer frases diplomáticas, mas imprecisas

Outra forma feminina de demonstrar o receio de agredir o interlocutor é a famosa linguagem diplomática. A melhor maneira de descrevê-la é a comparação entre frases diplomáticas e frases diretas (eu me sinto imprecisa só de escrever sobre o assunto!).

Frases diplomáticas	Frases diretas
"Parece-me que deveríamos..."	"Eu acredito que seria melhor..."
"Eu poderia..."	"Eu pretendo..."
"Você poderia considerar..."	"Eu aconselho você a..."
"Como você se sentiria se nós..."	"O que você acha de nós..."
"Alguém poderia dizer que..."	"A oposição diria que..."
"Acredito que nós..."	"Eu proponho que nós..."

Tenho certeza de que você percebeu imediatamente a diferença. Os dois grupos de frases dizem a mesma coisa, mas o segundo grupo é mais incisivo. As frases da direita demonstram com maior força o compromisso da pessoa com aquilo que diz, assim como seu desejo de tornar-se visível. Você talvez ache que é preciosismo de minha parte, mas a linguagem que utilizamos revela fortes mensagens implícitas sobre nós, nossos valores e nossas intenções.

Recomendações

1. Procure iniciar suas frases com o pronome "eu": *eu penso, eu acredito, eu proponho, eu pretendo, eu gostaria* ou até mesmo *eu sinto.*
2. Arrisque-se a declarar seus pensamentos com convicção.
3. Desenvolva um vocabulário mais corporativo lendo livros e artigos especializados sobre negócios.
4. Ao escrever cartas e *e-mails*, releia-os e edite-os para aprimorar seu estilo.
5. Não descarte inteiramente a linguagem diplomática, apenas seja mais seletiva em relação ao momento e ao modo certo de usá-la. Ela tem seu valor no aconselhamento ou no treinamento de companheiros de trabalho.

NOVA CONDUTA ☐

Erro 68

Usar a técnica do sanduíche

Ignoro quem teve a idéia de dar *feedback* usando a técnica do sanduíche, mas sei que é um recurso manipulador que prejudica a objetividade. A técnica do sanduíche sugere que se dê *feedback* colocando uma opinião negativa entre duas opiniões positivas. Isso não funciona. Pode ser mais fácil para *você*, mas não para o destinatário da avaliação. Receio dar um exemplo dessa técnica porque não quero sugerir que você a adote como parte de suas habilidades de comunicação. Mas, em defesa do esclarecimento, aqui vai:

> "Greg, eu gostaria de fazer alguns comentários sobre seu recente trabalho no projeto Jackson. Gostei realmente da maneira como dedicou um período considerável de tempo ao desenvolvimento de boas relações com o cliente. Ele parece ter gostado de sua atitude. Por outro lado, eu preferiria que você tivesse reservado mais tempo para a pesquisa necessária à elaboração de uma proposta mais sólida. Eu diria, sobretudo, que você está fazendo um bom trabalho de administração das expectativas do cliente".

O que Greg vai pensar e fazer depois dessa avaliação? Vai perguntar-se se está ou não fazendo um bom trabalho. Mesmo que a última mensagem tenha sido positiva, é mais provável que ele se concentre na mensagem intermediária, mais crítica. O fornecimento em separado de *feedback* positivo e negativo é uma forma muito mais eficaz de transmitir uma mensagem clara das expectativas e de reforçar o desempenho adequado. Por maior que seja sua experiência e habilidade, é sempre difícil fazer um *feedback* negativo ou crítico. Por essa razão prefiro usar a regra de *feedback* conhecida como sete-para-um (veja as Recomendações).

As mulheres não gostam de ser portadoras de más notícias. A maioria, na verdade, foge disso tanto quanto de uma enorme caixa de bombons. Para ter efeito positivo, o *feedback* deve ser específico e comportamental, além de enfatizar os resultados favoráveis. Uma forma bem melhor de abordar Greg teria sido a seguinte:

> "Greg, eu gostaria de fazer um pequeno comentário sobre o projeto Jackson. Parece-me que a pesquisa que você apresentou não estava completa e deixou para o cliente algumas perguntas sem resposta [específico]. Gostaria que, no futuro, você fizesse uma pesquisa mais completa do trabalho da concorrência e mostrasse os benefícios do uso de nosso processo e de nosso pessoal [comportamental]. Isso levaria o cliente a tomar uma decisão mais consciente em prazo menor [resultados positivos]".

Recomendações

1. É muito mais fácil fazer um *feedback* crítico com a aplicação da regra sete-para-um. Ela consiste em dar, ao longo do tempo, sete avaliações positivas para cada avaliação negativa. Dessa forma, o destinatário apreende a mensagem positivamente e não vê o avaliador como uma pessoa crítica demais.
2. Quando der um *feedback* positivo, certifique-se da inexistência de *críticas implícitas*. Esse tipo de elogio canhestro pode ser parecido com um comentário mais ou menos assim: "O jantar estava delicioso, muuuuuuito melhor do que as três últimas refeições que você fez para nós".
3. Lembre-se de que o *feedback* contínuo deve ser tanto positivo quanto negativo.
4. O *feedback* direto ficará mais fácil se você adotar o modelo DESCript:

D = **Descreva** o motivo da conversa.

Frank, eu gostaria de falar com você sobre o que ocorreu na semana passada, quando nós trabalhávamos no projeto Acme.

E = **Explique,** em termos comportamentais, sua maneira de ver a situação e **extraia** também a opinião da outra pessoa.

Um volume maior de trabalho recaiu sobre os meus ombros porque você chegou tarde e saiu cedo durante quatro ou cinco dias. Gostaria de saber o que pensa da situação.

S = **Sugira** que você sabe o que foi dito e especifique o que deseja que aconteça.

Compreendo que você teve de lidar com um problema de família, mas se eu soubesse disso antes teria feito uma escala diferente de trabalho ou pediria a alguém que o substituísse. Será bom que, no futuro, você me avise quando não puder dedicar toda a sua atenção ao trabalho conjunto que realizamos.

C = Relacione o comportamento desejável às **conseqüências** (positivas ou negativas, conforme a gravidade do problema ou o período de tempo que ele durar).

Obrigada por me ouvir. Se encontrarmos uma forma de melhorar a comunicação interna, só teremos a ganhar em termos de valor para nossos clientes.

NOVA CONDUTA

Erro 69

Falar muito baixo

Quando eu tinha 14 anos, trabalhava numa pequena empresa de lavagem a seco cuja proprietária tinha propensão a sofrer de terríveis enxaquecas. Se você já permaneceu durante algumas horas numa lavanderia desse tipo, conhece o ruído produzido pelos equipamentos de pressão. Eu falava em voz bem alta com uma colega que estava a poucos passos de mim quando a proprietária se aproximou e sussurrou em meu ouvido: "Você não sabe que as mocinhas não devem falar alto?"

Muitos anos depois desse fato eu ainda me preocupava em não falar alto demais para não parecer pouco feminina. Só três décadas mais tarde compreendi que naquele dia minha patroa devia estar com uma enxaqueca horrorosa e queria simplesmente que eu ficasse quieta. Imagino quantas outras mulheres ouviram mensagens idênticas – talvez pela mesma razão.

O volume da voz é uma das formas que temos de administrar a impressão que causamos nos outros. A maioria das mulheres tem a tendência de suavizar a voz quando começa a falar. Mas, quando falamos muito baixo, nosso discurso denota incerteza e falta de confiança. O volume da voz também tem impacto sobre a linguagem corporal. Quanto mais alto falarmos, maior será nossa tendência natural a gesticular. A combinação harmoniosa entre o volume da voz e os gestos produz imediatamente uma sensação de autoridade e conhecimento do assunto abordado.

Recomendações

1. Quando falar para um grupo de pessoas, suponha que aquela que estiver sentada mais longe de você tem certa dificuldade de ouvir e fale, portanto, em tom alto o bastante para que ela a entenda.
2. Faça um curso de dicção ou de canto para aprender a projetar sua voz corretamente.
3. Se as pessoas lhe pedem com freqüência para repetir frases ou para falar mais alto, considere isso um sintoma a ser tratado adequadamente.
4. Grave sua voz durante uma reunião de trabalho ou uma conversa qualquer. Se encontrar dificuldade de ouvir ou entender o que você mesma diz, mas as vozes das outras pessoas soarem claras e límpidas, esse é outro sintoma de que é preciso corrigir o volume de sua voz.
5. Preste atenção na gravação que você registrou na secretária eletrônica. Avalie objetivamente sua voz como se pertencesse a outra pessoa. Tente gravar uma mensagem que expresse autoconfiança – essa gravação poderá ser a primeira impressão que muita gente terá de você.
6. Pense em seus ouvintes como clientes. Sua voz deve envolvê-los e permitir que relaxem confortavelmente na cadeira. Se eles tiverem de curvar-se para a frente e esforçar-se para ouvi-la, isso será um sinal de que você não está cuidando bem desses clientes.

NOVA CONDUTA ☐

Erro 70

Falar alto demais

Por que uma mulher que fala normalmente com outra mulher de repente levanta o tom de voz quase ao nível de falsete quando um homem se aproxima? É muito raro ver um homem fazer a mesma coisa. Quando uma mulher começa a falar em tom alto e agudo, sua voz adquire um timbre infantil e faz lembrar uma garotinha que pede alguma coisa – o discurso torna-se manso, submisso, doce, mas de maneira alguma autoritário. Esse é o efeito que muitas mulheres *desejam* provocar com sua voz.

Mais uma vez as pessoas reagem não ao conteúdo da mensagem, e sim ao som da voz que a transmite. Palavras pronunciadas em tom muito agudo, tipicamente feminino, são em geral desconsideradas. Por que motivo você acha que, durante tantos anos, os locutores de rádio de mais prestígio eram todos homens? Hoje em dia, a voz masculina ainda é predominante nos noticiários noturnos de televisão.

Embora eu não conheça as razões desse fato, sei que as vozes mais graves atraem maior atenção e respeito. À medida que o tom de voz sobe, a credibilidade despenca. Talvez exista em nossa cultura a noção de que as vozes mais graves são masculinas, e nossa tendência é conceder maior autoridade aos homens. Tanto é assim que até mesmo os homens de voz mais aguda enfrentam problemas de credibilidade semelhantes aos das mulheres.

Recomendações

1. Ao acordar, emita algum som, qualquer som, como *ummmmmmm* ou *lá, lá, lá*. Você vai notar que esse é seu tom natural de voz – e deveria ser mantido ao longo do dia.
2. Participe de um coral e descubra seu tom natural de voz. Daí em diante, você não conseguirá forçar a voz em tom de falsete durante muito tempo.
3. Respire e relaxe conscientemente os músculos do pescoço e dos ombros. O tom de nossa voz em geral se altera por causa da tensão muscular e do estreitamento das cordas vocais.
4. Imagine que seu pescoço e seu peito são grandes espaços abertos e sinta sua voz preencher todo o interior de seu tórax. Corrija qualquer lembrança menor e estreita de sua voz.

NOVA CONDUTA ☐

Erro 71

Alongar demais os recados

Em família costumávamos dizer, brincando, que minha sogra não sabia dizer "até logo". Mesmo depois de esgotados todos os temas possíveis de conversação, ela não conseguia encerrá-la nem se despedir. Ocorre coisa parecida com muitas mulheres que deixam mensagens na secretária eletrônica. Ainda que o início seja conciso e bem articulado, a mensagem sempre termina mais ou menos assim: "Tudo bem, acho que isso é tudo o que eu queria dizer. Ah, sim, telefone se você tiver alguma dúvida. É isso, eu acho. Tudo bem e até logo". Prolongar demais o recado prejudica a clareza da parte inicial (e mais importante) da mensagem. Você vai sempre parecer indecisa.

Trabalhei certa vez com uma cliente que se queixava porque as pessoas deixavam mensagens rudes e agressivas que ela não sabia como responder. Pedi que me trouxesse algumas dessas mensagens. Pedi também que trouxesse gravações das mensagens que ela deixava na secretária eletrônica dos amigos e parentes. Depois de ouvir os dois conjuntos de mensagens, ficou evidente para mim que a causa do problema de minha cliente eram os recados masculinos. Não eram rudes nem agressivos, apenas sintéticos. Os dela, por outro lado, tinham mais palavras que o necessário, para não dizer que eram prolixos. Pareciam mais suaves em comparação com os outros porque *eram* de fato mais suaves. Muitas palavras suavizam as mensagens. Poucas palavras tornam mais fácil sua memorização.

Recomendações

1. Sempre que possível, ouça as gravações das mensagens telefônicas que você deixa. Isso a ajudará a corrigir-se se notar que seus recados se alongam demais.
2. Antes de telefonar, organize mentalmente os tópicos que quer abordar. Dessa forma, saberá que, uma vez que mencionou todos, é hora de desligar o aparelho (essa sugestão seria muito útil para minha sogra).
3. Caso você cometa esse erro com muita freqüência, obrigue-se a encerrar a ligação depois de esgotado o assunto principal. Pare de falar. Diga "até logo". Desligue o telefone.
4. Prepare um modelo para seus recados. Dessa forma, será mais fácil acostumar-se a deixar mensagens breves.

NOVA CONDUTA

Erro 72

Não fazer pausas ao falar nem pensar antes de responder

Você conhece a expressão *pausa de gestação?* Trata-se de um breve período de tempo que permite aos ouvintes antecipar e ficar atentos ao que se vai dizer. Em seu desejo de agradar às outras pessoas e de não abusar do tempo delas, você corre o risco de responder depressa demais às perguntas que lhe fazem – sem dar a si mesma tempo suficiente para pensar na resposta. A pausa de gestação antes de falar será uma ferramenta poderosa em seu arsenal de habilidades de comunicação.

A pausa de gestação tem vários propósitos. Demonstra profundidade de pensamento. Gera interesse nos ouvintes. Essa pausa e o silêncio que a acompanha dão às pessoas uma impressão de autoconfiança. Além disso, proporcionam a você tempo suficiente para organizar seus pensamentos de maneira clara e concisa.

Recomendações

1. Habitue-se a contar até 3 antes de responder a uma pergunta – mesmo que a resposta esteja na ponta da língua.
2. Durante a pausa, decida mentalmente o ponto principal que deseja passar aos ouvintes.
3. Nunca deixe de fazer pausas de pelo menos três segundos. Isso pode parecer uma eternidade no meio de uma conversa, mas – como você logo descobrirá – não passa de um momento.

NOVA CONDUTA ☐

capítulo 7

Como você parece

Quando oriento uma pessoa, começo em geral pelos comportamentos mais facilmente identificáveis – que podem ser mudados também de maneira mais fácil. Isso proporciona ao cliente uma sensação de sucesso rápido porque as outras pessoas logo observam os resultados de seus esforços para substituir os comportamentos prejudiciais por atitudes mais corretas e positivas. Este capítulo analisa algumas coisas que as mulheres, inconscientemente ou por hábito, fazem e que alimentam uma imagem de incapacidade e incompetência quase sempre injusta. Não se deixe enganar pela aparente simplicidade de alguns dos erros abordados nas próximas páginas. São raras as mulheres que cometem apenas um deles – e, quando vários se combinam, a imagem de incompetência projetada é *significativamente* maior e mais danosa.

Vamos começar desmascarando um dos maiores mitos da ascensão profissional: *os melhores e mais inteligentes são recompensados com promoções e escolhidos para funções de destaque*. Errado. Apenas as pessoas que possuem níveis competitivos de competência *e* falam e se apresentam como profissionais se movem em direção aos degraus mais altos da carreira. A competência é só o alicerce, o impulso que nos leva a abrir a porta. Daí em diante, espera-se que provemos nossa competência, mas isso não basta, isoladamente, para nos fazer entrar e avançar.

As pesquisas demonstram que cerca de 55% da credibilidade se deve à aparência. A linguagem e a maneira de falar são responsáveis por mais 38% – de modo que apenas 7% da credibilidade se baseia naquilo que se diz, no conteúdo da mensagem. Se sua aparência não for adequada, portanto, você não será reconhecida como uma profissional competente – por mais inteligente e bem qualificada que seja. Felizmente, porém, a aparência é um dos aspectos mais fáceis de trabalhar e aprimorar para obter a imagem de profissional competente e digna de confiança.

Erro 73

Sorrir demais e na hora errada

Tivemos a oportunidade de chegar à conclusão de que sorrir inadequadamente é um erro quando discutíamos a melhor forma de conquistar o respeito profissional durante um *workshop* sobre desenvolvimento de habilidades de liderança para mulheres. Uma das participantes, uma mulher pequenina de origem asiática, engenheira de uma empresa sediada na Califórnia, levantou a mão para perguntar por que seus colegas do sexo masculino simplesmente a ignoravam. Quando se calou, uma onda de riso inundou a sala. A razão de seu problema ficou clara para nós: *durante todo o tempo em que falou, ela exibiu um sorriso exagerado (e inadequado).*

As meninas, de acordo com o papel social, são induzidas a sorrir mais que os garotos. Os pais sorriem com maior freqüência para seus bebês do sexo feminino. Os homens são levados a sério quando não sorriem. Quando as mulheres não sorriem, porém, alguém logo pergunta: "Qual é o problema?" Não é de admirar, portanto, que nem sequer tenhamos consciência do fato de que talvez estejamos sorrindo no momento errado.

Recomendações

1. Fique mais atenta aos momentos em que você sorri. Eu sempre recomendo às clientes para "vigiar o sorriso".
2. Ajuste conscientemente a expressão facial à mensagem. Sem exageros, procure expressar coerência entre sua linguagem corporal e suas palavras.
3. Antes de transmitir notícias sérias ou desagradáveis, ensaie um pouco a expressão facial diante do espelho.
4. Não se permita, contudo, deixar de sorrir no ambiente de trabalho. O sorriso aumenta a estima das pessoas, e esse é um fator essencial ao sucesso profissional.
5. Seja seletiva com relação à maneira e ao momento de sorrir. O sorriso pode, por exemplo, ser usado intencionalmente para suavizar uma mensagem ou para demonstrar empatia.

NOVA CONDUTA ☐

Erro 74

Ocupar pouco espaço

O espaço que ocupamos é uma forma de demonstrar autoconfiança e independência. Quanto mais espaço você usa, mais confiante parece. Quando viajar de avião, repare na maneira diferente que os homens e as mulheres têm de sentar-se. Enquanto eles ocupam todo o assento e se apóiam confortavelmente nos braços da poltrona, elas tendem a manter os cotovelos apertados junto ao corpo na tentativa de não tomar muito espaço. O elevador é outro bom lugar para observar essa diferença. A maioria das pessoas, homens ou mulheres, costuma deixar espaço para os outros ao entrar. Quando o elevador está lotado, porém, é bem mais comum ver as mulheres encolhidas nos cantos para abrir espaço.

O mesmo fenômeno ocorre quando uma mulher faz uma apresentação. Sua tendência é permanecer no mesmo ponto da sala, movendo-se apenas ligeiramente dentro desse pequeno espaço. Se você ocupar pouco espaço e, além disso, a expressão corporal não acompanhar suas palavras, realçando-as com gestos adequados, a impressão predominante será de acanhamento, preocupação, receio de correr riscos, timidez e nervosismo, ou seja, a imagem acabada de alguém que não tem condições de prestar uma grande contribuição ao ambiente de trabalho.

Recomendações

1. Quando fizer uma apresentação, use todo o espaço disponível e percorra-o lentamente em todos os sentidos. Mesmo que esse espaço seja grande, um palco, por exemplo, você deve mover-se e ocupar pelo menos 75% dele.
2. Escolha, durante as reuniões de trabalho, um lugar que lhe permita alguns movimentos. Evite sentar-se em lugares que a obriguem a manter os cotovelos colados ao corpo. Se você apoiar os cotovelos na mesa e curvar-se ligeiramente, dará a impressão de estar atenta a tudo o que se passa.
3. Durante as apresentações que fizer, mantenha os pés separados na largura correspondente aos ombros.
4. Se estiver sentada, siga as recomendações relativas à expressão corporal apresentadas no erro 75 para projetar uma imagem de naturalidade e descontração.
5. Solicite um microfone sem fio, quando for necessário, para poder mover-se livremente no espaço disponível.

NOVA CONDUTA

Erro 75

Fazer gestos incoerentes com o discurso

Este tema está diretamente relacionado com o erro anterior. Da mesma forma que os demais aspectos de uma apresentação, a expressão corporal deve estar integrada à energia de quem fala. O aprimoramento dos gestos será um excelente começo caso você esteja tentando ter uma "presença" maior no espaço que ocupa. A maioria das mulheres, porém, nunca sabe usar a força dos gestos de maneira adequada. A causa disso é óbvia: desde cedo a mulher aprendeu a sentar-se com recato, as mãos pousadas no colo. Se ela gesticulava, logo lhe diziam para não ser tão "emocional". O medo de ser tachada de pouco feminina ou mal-educada levou-a ao extremo oposto – a ausência de gestos.

Há mulheres, porém, que ocupam muito espaço com seus gestos porque *desejam* projetar uma imagem exagerada e descontraída. Os cabelos, a maquiagem, a expressão corporal, tudo contribui para reforçar essa impressão. Se você quer ser levada a sério, eu não recomendo essas atitudes.

Os gestos da senadora Hillary Clinton, por outro lado, são tipicamente políticos. Ela parece tensa e muito consciente de sua expressão corporal, mas às vezes exagera. Quando quer enfatizar um ponto de vista, usa repetidamente gestos semelhantes a golpes de caratê. Essa repetição desvia a atenção da mensagem que está sendo transmitida.

Os gestos devem reforçar a mensagem, e não desviar a atenção do público dela. A expressão corporal adequada pode transmitir uma imagem de autoridade, mantendo ao mesmo tempo toda a sua elegância e feminilidade natural.

Recomendações

1. Deixe que os gestos fluam naturalmente de suas palavras e de sua energia.
2. Preste atenção em suas mãos: a ansiedade pode levar você a torcê-las sem perceber. Se isso acontecer, pare imediatamente.
3. Adapte a expressão corporal ao tamanho do público. Quanto maior for o grupo, mais amplos devem ser os gestos.
4. Enfatize os pontos de vista enumerando-os com os dedos (um, dois, três ou primeiro, segundo, terceiro).
5. O consultor de comunicação Tom Henschel recomenda aos clientes o uso de gestos que "rompam a silhueta". Quando você fica de pé com as mãos ao lado ou à frente do corpo, sua silhueta não revela nenhum gesto que você faz. Mas, se você aprender a usar melhor o espaço, seus gestos poderão ultrapassar o contorno de sua silhueta. Com o hábito, passará a fazer isso mesmo sentada a uma mesa de reunião ou enquanto conversa.
6. Imprima energia a seus gestos e faça bom uso de seu espaço!

NOVA CONDUTA ☐

Erro 76

Demonstrar muito entusiasmo ou muito desânimo

Allen Weiner, presidente da Communications Development Associates, empresa sediada na Califórnia, usa o termo *gás* para se referir ao grau de entusiasmo de uma pessoa. Isso abrange não apenas os gestos como também a expressão facial, a maneira de falar e outras formas de linguagem corporal. Todos nós conhecemos pessoas cheias de *gás:* elas fazem lembrar uma lata de refrigerante que agitamos muito antes de abrir. Uma pessoa nessas condições, além de dispersiva, parece muito menos confiável do que realmente é. As mulheres, em minha opinião, aparentam ter mais *gás* que os homens porque desejam que todos se sintam felizes. Por isso, muitas vezes exageram na energia, verbal e não-verbal, que imprimem em tudo o que fazem.

Por outro lado, se uma mulher receber críticas por ser muito expansiva e emocional, é provável que passe a demonstrar pouco *gás*, timidez e até desânimo. No esforço de controlar sua agitação natural, ela pode cair no extremo oposto. Atribuímos a essas pessoas características de *baixa energia*, *indiferença*, *tédio* ou *depressão.*

A amizade existente entre as atrizes Carol Burnett e Julie Andrews leva ambas a dividir com freqüência o mesmo palco. Nessas ocasiões podemos observar o alto teor de *gás* de Carol como contraponto do tranqüilo baixo teor de *gás* de Julie. No início de sua carreira, as expressões faciais e os movimentos corporais exagerados de Carol a tornaram uma comediante extremamente popular. Julie, em contrapartida, é mais fleumática e reservada, uma eterna *lady.* Nem um nem outro comportamento projeta a imagem que a maioria das mulheres deseja ter no ambiente profissional.

Recomendações

1. Se você não for uma pessoa cheia de *gás*, procure falar mais alto. Essa é uma forma natural de aumentar o nível de energia.
2. O excesso de *gás* pode ser causado pela ansiedade. Pratique exercícios de respiração profunda e outras técnicas de relaxamento para reduzir sua agitação.
3. Faça um esforço consciente para equilibrar entusiasmo e desânimo. Há um recurso que pode ajudá-la muito: observe a si mesma num videoteipe gravado durante uma reunião de trabalho e abaixe completamente o volume. Se você estiver de pé, afastada da mesa, olhando com impaciência através da janela, por exemplo, como se descreveria?

NOVA CONDUTA

Erro 77

Balançar a cabeça

O meneio de cabeça durante uma conversa tem o efeito de suavizar o que se diz. É quase sempre usado para demonstrar atenção e compreensão do que se ouve, assim como para encorajar o interlocutor a continuar ou a fazer uma pergunta. As mulheres utilizam esse recurso bem mais que os homens, o que, nesse aspecto, é uma coisa positiva. Quando se transmite uma notícia direta, porém, o meneio de cabeça pode ser interpretado como hesitação ou falta de compromisso com o que está sendo dito. Essa é outra das tantas maneiras que as mulheres aprenderam de dar notícias ruins ou dizer coisas desagradáveis de forma socialmente aceitável, embora menos incisiva.

As melhores ocasiões para observar isso são as entrevistas transmitidas pela televisão. Nos programas que abordam assuntos de importância nacional ou internacional, que requerem uma imagem de seriedade e credibilidade, não há muitos meneios de cabeça nem do entrevistador nem do entrevistado.

Nas entrevistas de teor pessoal, porém, principalmente se o entrevistador for experiente e habilidoso e quiser encorajar o convidado a falar de maneira mais franca e aberta, os meneios de cabeça são usados. O entrevistador pode fazer as perguntas mais pessoais e até confidenciais e obter as respostas que pretende porque, em parte, os meneios de cabeça demonstram ao convidado que ele tem interesse verdadeiro pelo assunto.

Não recomendo, portanto, que você descarte inteiramente esse recurso. Mas fique atenta e evite usar o meneio de cabeça para suavizar uma mensagem que *não deve* ser suavizada.

Recomendações

1. Evite balançar a cabeça quando falar de assuntos sérios. Encare diretamente a pessoa, olhando-a nos olhos.
2. Use o meneio de cabeça em seu favor – quando quiser demonstrar atenção ao que a pessoa diz ou deseja que ela se abra mais ou quando for preciso transmitir compreensão e empatia.
3. O meneio de cabeça também pode servir para amenizar um momento de silêncio penoso ou desconfortável, como se você dissesse: "Fique tranqüilo, estou ouvindo".

NOVA CONDUTA

Erro 78

Maquiar-se demais

A maquiagem é um recurso traiçoeiro. Por um lado, não é recomendável adotar o estilo "cara lavada", principalmente no ambiente de trabalho, em que a aparência é tão importante. Por outro lado, porém, todos notam quando é excessiva, mal-feita ou inadequada.

Pedi certa vez ao chefe de uma cliente minha, cientista, para dar sua opinião sobre o que ela deveria fazer para superar algumas barreiras e conseguir uma promoção. Ele explicou que a moça poderia agir de forma estratégica, falando com maior freqüência nas reuniões para defender mais fortemente os interesses de sua equipe. Após um desconfortável momento de silêncio, sugeri que continuasse, pois me pareceu que ele queria acrescentar alguma coisa. Um pouco embaraçado, confessou: "Talvez ela devesse começar a usar maquiagem". Esse comentário pode ser interpretado como apenas mais uma observação machista – ou como uma sugestão valiosa do que as pessoas esperam de uma mulher cuja carreira está em ascensão.

A maquiagem é um acessório semelhante a uma jóia ou a uma bela echarpe. As pessoas notam essas coisas. O exagero ou a ausência absoluta de maquiagem com certeza terão o mesmo efeito: a redução da credibilidade.

Recomendações

1. Vá ao setor de cosméticos de uma boa loja de departamentos e peça uma consulta gratuita a uma das vendedoras (escolha aquela que estiver mais bem maquiada).
2. Peça a uma amiga ou colega de confiança que usa maquiagem adequada a sua posição para orientar você com relação à melhor maneira de se maquiar.
3. Se você não gosta de usar maquiagem ou não está acostumada a aplicá-la, comece aos poucos, sempre seguindo as sugestões de uma amiga ou de uma consultora.
4. Procure uma maquiadora profissional para ajudá-la se for necessário.
5. Fique de costas para o espelho, depois se volte rapidamente e olhe para seu rosto. Qual é a primeira coisa que você nota? Esse provavelmente é o ponto em que deve usar menos – ou mais – maquiagem.

NOVA CONDUTA ☐

Erro 79

Usar penteados inadequados

Cabelos – difícil lidar com eles, impossível viver sem eles. Qual de nós já não "brigou" com um corte malfeito, com a cor errada ou simplesmente com a rebeldia deles? O principal erro que observo nas mulheres com relação aos cabelos é mantê-los longos demais. Uma das consultoras de nossa empresa nos contou o que aconteceu quando, após concluir o curso de doutorado em Desenvolvimento Organizacional, pediu a um médico que pertencia à alta administração do hospital em que trabalhava uma opinião sobre a melhor maneira de conseguir determinada promoção que ela desejava. Olhando sua longa e bela cabeleira loiro-arruivada, ele respondeu: "Mude essa aparência de Alice no País das Maravilhas".

A opinião dele talvez não tenha sido demonstrada da forma mais gentil, mas, como se costuma dizer, um *feedback* é um presente. Num ambiente predominantemente masculino, cabelos longos reduzem a credibilidade na mesma proporção em que enfatizam a feminilidade. Jamais saberemos se nossa consultora conseguiu aquela promoção graças ao fato de ter cortado os cabelos – mas ela própria admite que isso mudou a forma como as pessoas a tratavam.

Recomendações

1. Se você descobrir um bom cabeleireiro, não seja pão-duro. Um salão de beleza de preços baixos não é o melhor local para encontrar um profissional de alta qualidade.
2. Existe uma proporção inversa entre os cabelos e a idade. Os cabelos devem ser mantidos cada vez mais curtos à medida que envelhecemos e avançamos na carreira. Um corte de cabelo discreto e curto é mais profissional. Além disso, cabelos longos geralmente destacam características faciais que, após certa idade, não fazemos tanta questão de mostrar.

3. Se você realmente não quiser cortar os cabelos, prenda-os num coque, por exemplo, para dar a impressão de usá-los curtos.
4. O penteado, assim como a maquiagem, é um acessório. Certifique-se de que ele se torne um complemento de sua aparência.
5. Se seus cabelos estiverem grisalhos, pense seriamente numa boa tintura. Embora, para os homens, uma cabeleira branca ou grisalha seja considerada um fator de distinção, o mesmo não acontece com relação às mulheres.
6. Mary Mitchell, num artigo intitulado "Vestida para o sucesso: 9 sugestões de penteados profissionais", faz duas recomendações:

- Descarte o estilo extravagante. Cabelos com excesso de laquê ou gel, de aparência sebosa, são "o equivalente às saias muito justas na altura dos quadris". Em vez disso, ela sugere o uso de produtos que dêem uma aparência mais suave e elegante, que não destoe do ambiente profissional.
- Adapte seu estilo à área em que você trabalha, seja qual for sua posição. No renomado Hotel Bel-Air de Los Angeles, por exemplo, exige-se que *todos* os empregados tenham aparência discreta, para não destoar do ambiente e ao mesmo tempo não ofuscar hóspedes ilustres como Meg Ryan e Anthony Hopkins. A diretora de recursos humanos, Antoinette Lara, sempre diz aos funcionários: "Imaginem o penteado que vocês escolheriam para ir a uma danceteria numa noite de sábado e depois façam o oposto para vir trabalhar".

Erro 80

Vestir-se de maneira imprópria

A chamada moda casual tornou a questão do vestuário no ambiente de trabalho um pouco mais complicada. Antes as coisas eram simples, as mulheres usavam vestidos ou conjuntos de saia e *blazer* durante o expediente. À medida que essa moda casual, com suas calças jeans e suas blusinhas, ganha terreno, aumenta a margem de erros que podemos cometer nesse aspecto. Se você não quer correr riscos, siga a máxima que diz: "Use roupas de acordo com a posição que deseja, e não com a posição que tem". Saias justas ou curtas demais, decotes exagerados, sapatos de saltos muito finos ou sem polimento e peças surradas ou amassadas não a levarão aonde quer chegar – pelo menos não no ambiente de trabalho. Gostemos disso ou não, as pessoas notam não apenas o *estilo* das roupas que usamos como também sua *qualidade*.

Existem exceções a essa regra? Sem dúvida. Uma firma de corretagem com a qual trabalho tem regras rigorosas e conservadoras, embora não sejam explícitas, com relação ao vestuário. Quando converso sobre o assunto com as funcionárias, elas citam, em seus argumentos contrários a essa imposição, o caso de uma colega que rompe todas as regras de vestuário da firma – *todas*. Eu respondo: "Ela é uma exceção, e a maioria das pessoas não consegue nada agindo dessa maneira". Na verdade, a funcionária é excelente, quase perfeita, em sua função, trabalha na empresa há muitos anos e tem fama de excêntrica. Além do estilo das roupas que usa, seu comportamento também é tolerado graças ao valor que ela agrega à firma com seu trabalho. Mas isso não funciona para a maioria das mulheres – e é melhor nem mesmo tentar.

Recomendações

1. Observe as mulheres bem-sucedidas que têm altos cargos na empresa onde trabalha. É *assim* que você deve se vestir.
2. Mesmo que as regras de vestuário sejam mais liberais em seu ambiente de trabalho, use roupas um pouco melhores que a maioria de seus colegas.
3. Escolha roupas mais elegantes no dia em que fizer uma apresentação ou tiver qualquer outra tarefa de destaque. Você não correrá riscos se usar um vestido ou um conjunto de bom corte.
4. Faça uma visita a lojas conceituadas, especializadas em roupas femininas, e peça orientações sobre moda.
5. Considere a compra de boas roupas um investimento em seu futuro. Reserve uma verba anual para adquirir peças de boa qualidade. Quando você se sente bem dentro das roupas, suas atitudes revelam mais confiança.
6. Observe as cores que ficam bem em você e use-as. Roupas de cores que realçam seus pontos fortes causam mais impacto do que pode imaginar.

NOVA CONDUTA

Erro 81

Sentar-se de forma errada

Não sei se eu teria pensado em escrever sobre este tópico, contribuição muito bem-vinda do doutor Doug Andrews, catedrático da Faculdade de Administração de Empresas da Universidade Southern California. Ele tem, durante suas aulas, a oportunidade de observar os estudantes, jovens ou nem tanto, e descreve assim a postura feminina: "Isso que as mulheres fazem quando se sentam sobre uma das pernas".

O doutor Andrews está absolutamente certo quando afirma nunca ter visto nenhum homem sentar-se dessa maneira. Está igualmente certo ao dizer que, com essa postura, a mulher parece uma garotinha, e não uma profissional adulta. Visitei recentemente uma loja de antiguidades e fiquei fascinada por uma fotografia antiga, do início do século XX, de uma menina de 6 ou 7 anos de idade. Ela estava sentada sobre uma das pernas, e isso suavizou sua pose e o efeito visual da foto.

É fácil observar essa postura nos programas de entrevistas da televisão. A convidada chega e, vendo uma poltrona ao lado do entrevistador, senta-se confortavelmente sobre a perna. Você pode imaginar Bill Gates, George Bush ou mesmo um ator como Mel Gibson sentados assim? São sempre as mulheres que fazem isso – com naturalidade e sem timidez. Essa atitude pode ter sua graça, mas não é nada profissional.

Recomendações

1. É muito simples: se você quer ser levada a sério, sente-se com os pés apoiados no chão e os joelhos unidos. Em situações menos formais, cruze as pernas na altura dos joelhos. *Nunca* se sente sobre uma das pernas.
2. Lembre-se: uma imagem "sólida" requer os dois pés firmemente apoiados no chão.

NOVA CONDUTA ☐

Erro 82

Arrumar-se em público

Quando foi a última vez que você viu um homem pegar um espelho e pentear os cabelos logo após o almoço? E lixar as unhas durante uma reunião? Esse simples pensamento nos faz rir, pois é de fato ridículo. Por mais discreta que você acredite ser, o gesto de arrumar-se em público é imediatamente notado e silenciosamente julgado pelas pessoas em volta.

Outro hábito (quase sempre inconsciente) que as mulheres têm é prender os cabelos atrás das orelhas. Elas fazem isso quando se curvam para ler, por exemplo, ou por timidez, quando estão flertando. Imagine um grupo de pessoas que têm o hábito de "brincar" com os cabelos. Se você pensou em adolescentes, imaginou corretamente. O gesto de prender os cabelos atrás das orelhas faz com que você pareça mais imatura do que na verdade é. E o hábito de arrumar-se em público enfatiza sua feminilidade, mas acaba com sua credibilidade. As mulheres maduras evitam essa atitude.

Recomendações

1. Nunca penteie os cabelos nem passe batom em público. Se não puder resistir ao impulso de fazer isso, peça licença e vá ao banheiro.
2. Seja rápida quando for à toalete para arrumar-se e evite que as outras pessoas fiquem à mesa esperando por você. O melhor é fazer isso quando voltar ao escritório.
3. Se, ao ver seu reflexo num espelho, notar alguma coisa errada, não caia na tentação de arrumar-se ali mesmo. Espere por um momento de privacidade.
4. Não toque nos cabelos sem necessidade. Pense nisto: cada vez que os arruma, você perde um ano de credibilidade.

NOVA CONDUTA

Erro 83

Sentar-se com as mãos sob a mesa durante uma reunião

Sentar-se para participar de uma reunião de trabalho não é o mesmo que estar sentada à mesa para jantar. Você não é obrigada a manter os cotovelos fora da mesa, como lhe ensinaram na infância. Observe como os homens se comportam nas reuniões. Quando falam com convicção, quase sempre se curvam e apóiam os cotovelos e as mãos sobre a mesa. Se eles estão interessados no que ouvem, mantêm os cotovelos na mesa e apóiam o queixo sobre as mãos fechadas.

Mas e nós, o que fazemos? Conforme nos ensinaram, nós nos sentamos timidamente com as mãos no colo ou escondidas sob a mesa. A diferença é chocante. Por mais difícil que seja de início, quando se trata de impor respeito todas as pesquisas apontam a necessidade de "colocar as cartas na mesa".

Recomendações

1. Durante as reuniões, curve-se um pouco para a frente e apóie os antebraços na mesa, com as mãos levemente fechadas. Essa postura não apenas demonstra seu envolvimento na conversa como também lhe permite gesticular facilmente se for necessário.
2. Já que falamos de reuniões, há duas outras recomendações oportunas. Sempre que possível, sente-se ao lado da pessoa mais importante da sala. Por alguma razão desconhecida, o poder dessa pessoa se transmite a quem está perto dela. Além disso, você dará a impressão de não ter medo do poder.
3. Não tenha receio de sentar-se à cabeceira de uma longa mesa de reuniões. Afinal de contas, isso não é nenhum bicho-de-sete-cabeças. Essa localização privilegiada permite que você veja todos os presentes e – o mais importante – que todos a vejam.

NOVA CONDUTA ☐

Erro 84

Usar suportes para pendurar os óculos em volta do pescoço

Esse hábito provavelmente começou por iniciativa de algum bibliotecário durante os anos 1950. Mas por que as mulheres, mais que os homens, usam aquelas pequenas correntes para pendurar os óculos em volta do pescoço? Será que perdemos os óculos mais facilmente que os homens ou apenas queremos chamar a atenção para o fato de estarmos envelhecendo? Em algumas lojas, essas correntes são expostas como acessórios.

Em um *workshop* sobre desenvolvimento de habilidades de apresentação de que participei, havia uma mulher de meia-idade que ficou segurando os óculos durante os trinta minutos que durou sua sessão de treinamento. Além de segurar os óculos, ela os revirava nas mãos enquanto ouvia e respondia as perguntas dos outros participantes. Na verdade, não usou os óculos uma única vez, o que me levou a deduzir que eles eram mais um apoio emocional que uma necessidade.

Mesmo correndo o risco de falar como uma pessoa idosa, devo dizer mais uma vez que, ao contrário dos homens, são raras as mulheres que vêem sua credibilidade crescer com a passagem dos anos. Embora eu não considere que se deva ocultar nem diminuir a idade, também não vejo necessidade de enfatizá-la.

Recomendações

1. Se você não consegue ler sem óculos, digite as notas de suas apresentações com tipos grandes o bastante para dispensá-los. O programa PowerPoint fornece meios que a ajudarão a manter o roteiro de sua apresentação sem precisar pôr nem tirar os óculos a cada momento.
2. Se precisar de apoio psicológico, segure uma caneta ou um lápis enquanto fala, isso não tem nada de errado. Você não deve, porém, revirar o objeto nas mãos nem tamborilar na mesa com ele para não desviar a atenção do público de suas palavras.
3. Uma boa maneira de eliminar o desconforto causado pela necessidade de pôr e tirar os óculos a todo instante é o uso de lentes de contato – desde que você não tenha sensibilidade excessiva a elas, é claro.
4. Por falar em óculos, saiba que eles podem ser um bom recurso caso você seja muito jovem e deseje aparentar mais maturidade para ser levada a sério. Mesmo que não precise usá-los ainda, um par de óculos de lentes sem grau terá o mesmo efeito externo.

NOVA CONDUTA ☐

Erro 85

Abusar dos acessórios

Os acessórios podem ser seus melhores amigos – ou seus piores inimigos. Assisti recentemente a uma videoconferência na qual a ex-secretária de Estado Madeleine Albright tinha participação de destaque. Ela vestia um elegante conjunto, apropriado para a ocasião, mas usava também um broche enorme. Esse adereço me distraiu tanto que fiquei o tempo todo tentando vê-lo melhor em vez de prestar atenção no que ela dizia.

Aprendi a usar acessórios de modo a manter a impressão de seriedade que geralmente transmito às pessoas. Quando quero passar uma imagem de mais leveza, uso alguns broches muito originais que tenho. Um deles, que costuma chamar atenção, representa três mulheres de cabelos revoltos e vestidos coloridos que estão de braços dados. É como se eu dissesse: "Posso ser muito séria, mas gosto de me divertir na companhia de outras pessoas". Mas eu deixaria de usá-lo se seu efeito fosse cômico demais, pois não é essa a minha intenção.

Escolhidos com cuidado, os acessórios conferem estilo e personalidade ao vestuário em geral conservador adotado no ambiente de trabalho. Eles mostram um aspecto da pessoa que nem suas palavras nem sua presença revelam. Mas, se forem inadequados ou excessivos, eles prejudicam a credibilidade. Os acessórios são como uma mensagem. Decida qual será a sua.

Recomendações

1. Não use brincos muito grandes nem longos no trabalho. Dependendo de sua altura e do comprimento de seus cabelos, prefira brincos pequenos e delicados.
2. Tenha entre seus acessórios um colar e um par de brincos de pérolas. Elas não precisam ser verdadeiras, mas mesmo assim nunca saem da moda e têm aparência delicada e clássica.
3. Combine os acessórios não só com o traje mas também com as atividades do dia. Um broche extravagante, por exemplo, pode ser aceitável durante o expediente normal do escritório na companhia de seus colegas, mas você não deve nem pensar em usá-lo para fazer a apresentação de um planejamento estratégico.
4. Falando em apresentações, quanto maior for o público, mais vistosos podem ser os acessórios. Tome cuidado, porém, para não cometer o erro de Madeleine Albright.
5. Repita uma das recomendações sobre o uso de maquiagem: fique de costas para o espelho e vire-se de repente. Algum acessório está destoando? Se for assim, deixe-o de lado.

NOVA CONDUTA

Erro 86

Não encarar as pessoas

Há vários fatores que contribuem para a tendência que temos de evitar os olhos das pessoas. Em algumas culturas, essa atitude é sinal de respeito quando se fala com alguém mais velho ou mais importante. Algumas pesquisas sugerem que fazemos isso quando nos sentimos culpados. As crianças, por exemplo, não nos encaram quando sabem que cometeram um erro ou quando nos zangamos com elas.

Quando uma mulher evita o contato visual, isso demonstra que ela se sente constrangida ou insegura. Se os olhos são as janelas da alma, essa é mais uma razão para encarar as pessoas e deixar que vejam nossa sinceridade, nossa autoconfiança e nosso conhecimento – e a recíproca é verdadeira. As entrevistas transmitidas pela televisão, mais uma vez, são ótimas para observar esse fenômeno. Os entrevistadores, homens ou mulheres, são mestres na arte do contato visual. Repare como eles encaram diretamente as pessoas, principalmente quando fazem uma pergunta difícil. Por outro lado, quando ficam embaraçados ou perdem por um momento a presença de espírito, quase sempre desviam os olhos do interlocutor. Há outro aspecto que torna esses profissionais tão competentes: graças ao hábito de encarar os entrevistados, podem perceber o que ele está pensando e baseiam nessa percepção as perguntas seguintes. Mas não é necessário que você seja entrevistadora para usar o contato visual a seu favor.

Recomendações

1. Quando assistir a um filme, observe como as personagens femininas mais autoconfiantes usam o olhar para transmitir sua mensagem. Preste atenção nos comportamentos específicos que reforçam a impressão de confiança e adote-os.
2. Se já lhe disseram que você tem a tendência de olhar fixamente as pessoas, passe a desviar ligeiramente os olhos para cima ou para os lados enquanto pensa na resposta que vai dar, por exemplo. Isso alivia por um momento o contato visual e permite uma pausa relaxante.
3. Quando cumprimentar uma pessoa, olhe-a diretamente nos olhos para demonstrar a atenção que ela merece de você.

NOVA CONDUTA

capítulo 8

Como você reage

Falamos até aqui dos comportamentos que as mulheres adotam e prejudicam ou reduzem sua credibilidade. Neste último capítulo, vamos examinar suas reações à maneira como são tratadas.

Muitas mulheres foram levadas, devido ao condicionamento imposto pelo papel social, a reagir às formas inadequadas de tratamento com gentileza, docilidade e submissão. Posso lembrar o exemplo dramático de uma cliente e o que aconteceu quando tinha 7 ou 8 anos de idade. Ela e suas primas, um pouco mais velhas, sempre iam ao cinema para assistir à matinê de sábado. Certo dia, um homem sentou-se perto dela e começou a molestá-la. Depois de suportar isso durante alguns minutos, disse às primas que queria mudar de lugar, mas não contou o motivo. Quando as meninas trocaram de lugar, o homem a seguiu e recomeçou a molestá-la. Ela ficou paralisada e permitiu que a situação prosseguisse até o fim do filme.

Muitos anos depois, quando me contou esse fato, ela ainda não conseguia entender por que não reagira nem pedira ajuda às primas. Essa passividade, infelizmente, é uma reação comum entre as mulheres. Não aprendemos o que fazer em nossa defesa nem sabemos como protestar quando alguém nos falta com o respeito. Em meu livro *Women, Anger & Depression: Strategies for Self-Empowerment* [Mulheres, Raiva & Depressão: Estratégias para Aumentar o Poder Pessoal], faço uma comparação entre as mensagens que meninos e meninas recebem sobre como reagir à raiva. Enquanto os garotos aprendem defesa pessoal, as garotas são ensinadas a "voltar a outra face". Em conseqüência, tendemos a tolerar comportamentos às vezes inadmissíveis. Quando conseguirmos eliminar de nosso subconsciente as mensagens de passividade aprendidas na infância, daremos um grande passo na direção de uma vida com mais poder.

Erro 87

Interiorizar mensagens

Os pais são responsáveis por todos os tipos de mensagem que passam aos filhos e que eles levam consigo a vida inteira. Nem todas são negativas, evidentemente, mas todas causam impacto em nossa auto-estima e na maneira como nos situamos no mundo. Mensagens como "você é igual a seu pai, nunca conseguirá nada na vida" ou "você é uma menina tão doce, vai crescer, casar-se e ter uma porção de filhos" preparam o cenário de uma profecia auto-realizável.

As mensagens nem sempre são verbais. Algumas vezes se manifestam na forma de expectativas com relação ao comportamento que deveríamos ter. Grande parte de meu trabalho consiste em ajudar as clientes a identificar as mensagens recebidas na infância e analisar o impacto que elas têm sobre o presente. Nossos pontos mais fortes são quase sempre desenvolvidos em reação às expectativas implícitas e explícitas ou às exigências de nossos pais. Como resultado, tendemos a confiar excessivamente nessas mensagens e relutamos em abandonar aquelas que já não têm efeito.

Vamos ver o exemplo de Cláudia, a mais velha dos sete filhos da família. Seu pai e sua mãe eram alcoólatras e dependiam dela para criar os filhos menores. Como acontece com muitas crianças nessas circunstâncias, Cláudia era excessivamente atenta, muito responsável e protetora dos irmãos mais novos. Nunca ninguém lhe ensinou o que tinha de fazer – ela simplesmente fazia. Essas atitudes foram muito proveitosas no início de sua vida profissional. Os supervisores apreciavam suas iniciativas, a liderança natural que exercia sobre os membros de sua equipe, a maneira como sabia orientá-los e a determinação que demonstrava para resolver problemas e eliminar obstáculos que pudessem prejudicar as metas de seu departamento.

Mais tarde, num estágio mais evoluído de sua carreira, porém, as mesmas atitudes a impediram de realizar plenamente seus potenciais. Sua personalidade, antes admirada, passou a ser considerada muito crítica. Embora sua disposição para orientar e liderar as pessoas recém-chegadas à equipe fosse antes apreciada, Cláudia agora era vista como uma pessoa hostil e controladora. E a iniciativa, um de seus pontos mais fortes, foi interpretada como a intenção desonesta de se apossar dos melhores projetos.

Cláudia, na verdade, interiorizara profundamente as mensagens de sua infância – ainda que nunca tenham sido verbalizadas. Isso nos dá uma idéia da intensidade com que somos capazes de interiorizar as mensagens *verbais!* Nosso trabalho com Cláudia não teve o objetivo de dissuadi-la de tomar as mesmas atitudes que tanto lhe foram úteis na infância e no início da carreira. Tentamos, isso sim, ajudá-la a desenvolver comportamentos alternativos que lhe permitissem uma análise mais calma da situação antes de se pôr em campo para "salvar o mundo". Em vez de se apresentar como voluntária na realização de projetos difíceis, por exemplo, ela deveria antes verificar as probabilidades que outra pessoa teria de evoluir com essa tarefa. Da mesma forma, antes de, apressadamente, apontar os erros dos outros, aconselhamos Cláudia a permitir que os colegas mais novos e inexperientes aprendessem com esses erros e deixassem, portanto, de considerar que ela era tão crítica.

Recomendações

1. Identifique a lição aprendida na infância que mais contribui para o desenvolvimento de seus pontos fortes. Perceba que comportamentos complementares você deve desenvolver para chegar ao equilíbrio.
2. Leia o livro *O Drama da Criança Bem-Dotada*, de Alice Miller. A autora demonstra que alguns adultos têm reações inadequadas em conseqüência das atitudes dos pais, que alimentavam expectativas excessivas a seu respeito ou faziam com que se sentissem desvalorizados (algumas vezes ambas as atitudes se inter-relacionavam). É um livro útil porque orienta o leitor a agir de maneira consciente em vez de se deixar levar pelas mensagens interiorizadas.
3. Existe uma "gravação" em nossa mente que repete as mensagens recebidas na infância. Quando essas mensagens tentarem impedir você de realizar seus objetivos, "apague-as" com respostas conscientes. Se, no entanto, elas forem muito fortes e você não conseguir reagir nem "apagá-las", talvez seja recomendável recorrer à terapia.
4. Escreva, coloque em local bem visível e leia com freqüência a famosa frase de Eleanor Roosevelt: "Ninguém pode fazer você se sentir inferior sem seu consentimento".

NOVA CONDUTA ☐

Erro 88

Acreditar que os outros sabem mais que você

Betty é consultora de desenvolvimento organizacional e tem escritório próprio. Antes de estabelecer sua empresa de consultoria, ela trabalhou durante muitos anos como gerente de desenvolvimento na sede de uma cadeia de *fast food* conhecida em todo o país. Graças à experiência adquirida nas duas atividades, ela é considerada, com toda a justiça, uma *expert* em seu campo. Certo dia Betty encontrou um cliente em perspectiva que desejava uma consulta sobre formação de equipe. À medida, entretanto, que esse executivo agressivo e sabe-tudo expunha o problema, Betty percebeu o que ele realmente queria: nada a ver com formação de equipe, e sim com sua intervenção para solucionar um conflito entre dois funcionários.

Depois que o executivo explicou o que desejava, Betty sugeriu que um programa de formação de equipe talvez não fosse o melhor caminho. Ela argumentou que a implementação de um programa desse tipo num ambiente em que duas pessoas estão em conflito não costuma ter bons resultados. Além disso, enfatizou o risco de envolvimento dos demais funcionários no conflito. O homem não lhe deu ouvidos. Já recorrera a consultores em situações semelhantes e sabia como eles trabalhavam. Tinha certeza de que o problema se resolveria com um programa de formação de equipe.

Como acontece com muitos consultores, Betty precisava levar em consideração o desejo do cliente e o próprio julgamento profissional. Deveria perder essa oportunidade de trabalho e permanecer fiel a seu ponto de vista ou haveria alguma forma de ajudar aquelas pessoas aplicando a metodologia pretendida pelo cliente? Optou finalmente pela segunda alternativa e orientou os doze membros da equipe do executivo durante os dois dias de duração do programa, implementado fora do escritório. Betty acreditou que o cliente poderia estar certo, uma vez que ele tinha sugerido a idéia de realizar o programa em outro ambiente. Ela estava disposta a tentar.

O programa de formação de equipe se revelou um desastre completo. A maior parte do tempo foi desperdiçada na mediação do conflito entre as duas pessoas que o executivo mencionara no primeiro encontro. Embora no início Betty tenha recorrido à interação de ambos os briguentos como fator de aprendizado para toda a equipe (ensinando habilidades de negociação e disposição para ouvir o interlocutor, por exemplo), aos poucos os participantes se cansaram da tensão criada no ambiente e se dispersaram mentalmente. O conflito não se resolveu e os outros membros da equipe encararam a experiência como uma enorme perda de tempo.

Betty aprendeu da maneira mais difícil que as mulheres subestimam com freqüência seus conhecimentos e dão mais crédito à opinião de um estranho que à própria experiência. Seja qual for nossa profissão, temos a tendência de acreditar que os outros sabem mais que nós. Betty cedeu à convicção do executivo por julgar que ele conhecia melhor o problema – e o resultado foi catastrófico. Sua reputação na empresa foi prejudicada, é claro, porque o executivo não vacilou em responsabilizar sua "imperícia" pelo fracasso do programa, quando deveria ter reconhecido o acerto de seu diagnóstico e de suas recomendações iniciais. Ela teria feito melhor se recusasse esse trabalho, como chegou a pensar. Ao contrário dos homens, nós geralmente admitimos não saber alguma coisa – mas não aprendemos a confiar em nós mesmas quando sabemos. Os homens podem dizer coisas completamente erradas com uma autoridade que as mulheres jamais terão. E o pior é que acreditamos neles.

Recomendações

1. Antes de supor que outra pessoa sabe mais do que você, faça algumas perguntas-chave para comprovar seus conhecimentos. Questões como "por que faz essa sugestão?" ou "como sabe disso?" demonstrarão, no mínimo, que você não é nenhuma principiante.
2. Antes de pedir a opinião de alguém, verifique se realmente precisa dela. Como eu já disse, se você fizer uma pergunta quando conhece a resposta, sua credibilidade cairá a zero.
3. Se alguma coisa não lhe parecer muito correta, provavelmente você tem razão. Nesse caso, solicite tempo para pensar no assunto antes de se comprometer.

NOVA CONDUTA ☐

Erro 89

Tomar notas, trazer café e tirar cópias

Em dado momento de um dia qualquer, em algum lugar do mundo, deve existir sempre uma mulher arrancando os cabelos por causa desse problema. Há muito tempo perdi a conta das vezes em que ouvi um homem dizer: "Vamos pedir a Lucy (ou outro nome, conforme o caso) para tomar notas. Sua letra é a mais bonita" ou "Regina, você poderia trazer um café para nós?" (esta última frase é, na verdade, uma ordem mal disfarçada).

É comum, durante os *workshops* e seminários de que participo, ouvir as mulheres perguntarem: "O que devo fazer quando me pedem para trazer café ou tomar notas durante uma reunião?" A resposta mais fácil é: "Diga não". Muito mais difícil, porém, é evitar a pergunta. Cada vez que aceitamos tarefas como essas, estamos contribuindo para a perpetuação do estereótipo da mulher que, embora seja uma profissional, desempenha o papel da "mãe" que alimenta, cuida e serve os outros no trabalho. A conseqüência disso, inevitável para nós, é o constrangimento causado pela impossibilidade de dizer "não" ou a raiva diante da situação. Nenhum desses sentimentos resolve o problema. Como reagir a esses pedidos, digamos, abusivos? Tenho algumas recomendações a fazer.

Recomendações

1. Revele a seu chefe o que você sente quando lhe pedem essas coisas e sugira que as tarefas sejam executadas em rodízio. Se ele responder, por exemplo, que você se aborrece sem motivo, diga simples e calmamente: “Para mim, esse é um bom motivo”.
2. Quando lhe pedirem, diante de outras pessoas, para trazer café ou tomar notas, diga em tom calmo e natural: “Creio que devo passar adiante a tarefa, porque já fiz isso na última reunião”.
3. Demonstre ser uma boa “gestora de reuniões” – faça uma lista das tarefas necessárias e proponha que os assistentes administrativos do departamento as executem.
4. Dê sua contribuição à cultura da empresa: sugira a adoção do costume de solicitar essas tarefas ao membro mais novo da equipe.

NOVA CONDUTA ☐

Erro 90

Tolerar comportamentos impróprios

Débora foi transferida, em dezembro, para uma função de desenvolvimento no departamento financeiro da sede de sua empresa. Recebeu um escritório no andar dos executivos, mas, ao chegar, constatou que ainda não havia computador. "Isso é simples", pensou, "basta telefonar para o suporte técnico e pedir um." Quando ligou, disseram que não havia nenhum disponível no momento, mas prometeram que em uma semana ela teria seu equipamento. Depois de duas semanas, nada de computador. Débora ligou novamente, apenas para ouvir do gerente um pedido de desculpas. Sua esposa, disse, acabara de dar à luz, e ele tinha estado ausente, por isso o equipamento fora entregue a outra pessoa (um homem, claro). O gerente prometeu fazer o possível, mas era época de Natal e o escritório ficou fechado por duas semanas.

Estive no escritório de Débora em meados de fevereiro – e não havia computador. Ela me mostrou o bilhete que tinha enviado ao gerente do suporte técnico: "Compreendo que tenha estado atarefado e precisa de mais funcionários. Mas acho que dois meses e meio é tempo demais para esperar um equipamento tão necessário para trabalhar. Agradeceria se me enviasse o computador o mais rápido possível".

Pergunte o que há de errado nesse bilhete e eu direi: muito educado e compreensivo e nem um pouco específico. Eu o escreveria assim: "Faz dois meses e meio que lhe pedi um computador pela primeira vez e, apesar de todas as suas promessas, ainda não o recebi. Considerando que a falta desse equipamento limita seriamente a execução do meu trabalho, espero o envio de um PC no máximo até sexta-feira. Se isso não for possível, devo supor que a falha se deve a problemas fora de seu controle e vou solicitar a intervenção de seu chefe e do meu. Espero um telefonema ainda hoje para esclarecer dúvidas".

Essa versão do bilhete **descreve** o problema, **explica** por que é um problema, **sugere** a solução desejada, fala das **conseqüências.** Contém, portanto, todos os elementos do método DESCript, apresentado no erro 68.

Recomendações

1. Faça um curso de defesa pessoal. Se você aprender a defender-se fisicamente, aprenderá também a defender-se verbalmente.
2. Use mais a palavra *eu* e menos o termo *você* em suas mensagens. A repetição da palavra *você* é mais agressiva e aponta os problemas, e não as soluções. Observe a diferença e mude isto:
   "Você sempre me interrompe!"

   Para isto:
   "Eu agradeceria se você me permitisse completar minha frase".

   Mude isto:
   "Você não pode fazer isso comigo!"

   Para isto:
   "Eu não estou contente com a maneira como tenho sido tratada e gostaria de apresentar algumas sugestões para resolver isso".

3. Não "engula" seus sentimentos – eles ficarão incomodando você de qualquer forma. Procure identificar suas emoções quando não for tratada com o respeito que merece e expresse-as com frases que enfatizem a palavra *eu.*
   - "Eu me sinto como uma criança quando falam comigo dessa maneira."
   - "Eu me sinto desrespeitada quando minhas idéias são ignoradas."
   - "Eu acho que estão tentando tirar vantagem de mim."

- "Eu mereço uma explicação sobre o motivo de meu pedido ter sido negado."

4. O fato de não ter reagido no momento oportuno não significa que você não tem o direito de retomar o assunto para então responder adequadamente. Quando nos pegam de surpresa, é difícil encontrar as palavras certas no momento exato. Mas você tem o direito de procurar a pessoa mais tarde e dizer: "Estive pensando no que aconteceu ontem e gostaria de dizer a você como me senti".

NOVA CONDUTA ☐

Erro 91

Ser paciente demais

Talvez seja verdade que "quem espera sempre alcança", mas as mulheres levam a crença nesse ditado a extremos. Quando o adjetivo *impaciente* se aplica a um homem, isso significa que ele é dinâmico, apressado e está sempre pronto para progredir. Mas o mesmo termo, aplicado a uma mulher, demonstra que ela alimenta expectativas exageradas, pensa que tem direito a tudo e não entende a cultura da empresa onde trabalha. A paciência *não* é uma virtude feminina.

No caso de Kyoko, por exemplo, disseram a ela para ser paciente e esperar pela promoção prometida. Ela obedeceu e esperou. E esperou. E continuou a esperar. Após seis meses de espera, seu chefe foi transferido para outra divisão. Quando Kyoko lhe perguntou sobre a promoção, ele respondeu que o novo chefe trataria disso. Você já adivinhou o que aconteceu, não é? O novo chefe, naturalmente, nada sabia sobre a tal promoção – nem se importou com isso. As promoções não constavam de sua lista de prioridades.

Recomendações

1. A engrenagem que range é que recebe a graxa. Um executivo me contou que não se importa que alguém lhe cobre uma promessa uma ou duas vezes, mas três vezes é demais para ele. Assim, se você não cobrar pelo menos uma vez as promessas que lhe fazem, não poderá dizer que sabe defender suas causas.
2. Não acredite quando alguém lhe disser que você é impaciente. Essa é apenas uma forma de desencorajar suas reivindicações.
3. Quando alguém lhe pedir mais paciência, pergunte quando poderá voltar ao assunto. Se a pessoa estabelecer um prazo muito longo, pressione-a para reduzi-lo: "Esse prazo é muito maior do que o combinado no início. Por que não duas semanas em vez de um mês?"
4. Se lhe pedirem para esperar mais que o necessário por alguma coisa, pergunte: "Por que tanto tempo?" Talvez haja uma razão concreta. Se não houver, procure obter o que deseja por outros meios legítimos.

NOVA CONDUTA ☐

Erro 92

Aceitar trabalhos sem perspectivas

Há um momento na carreira de todos os profissionais – homens ou mulheres – em que uma função ou tarefa gritantemente sem perspectivas é oferecida a eles. Aceitar ou não aceitar – eis a questão. E a resposta é: *depende.* Não se precipite em tomar a decisão de aceitar uma tarefa apenas por acreditar que esperam isso de você nem porque não quer parecer ingrata. Nunca se sabe aonde isso pode levar você, provavelmente a um beco sem saída.

Tive em certa ocasião uma cliente muito jovem que foi convidada a transferir-se para uma divisão pequena e distante da empresa onde trabalhava. Além disso, a divisão estava dando prejuízo. Ansiosa por demonstrar sua capacidade de corrigir o problema e desejosa de alcançar postos mais altos no futuro, ela aceitou a tarefa sem pensar duas vezes. Se a moça ao menos tivesse procurado saber mais sobre a divisão e o funcionário que a administrava antes, descobriria que ele se demitira por causa dos rumores de que essa unidade seria vendida.

Minha cliente exercia a nova função havia apenas oito meses quando a venda foi anunciada e ela se viu na folha de pagamento de uma empresa muito menor e menos prestigiada que a anterior. Não pense que não me ocorreu a suspeita de que lhe ofereceram a transferência por três motivos: por ser mulher, por ser jovem e por ser ingênua.

Recomendações

1. *Nunca* aceite uma função antes de obter as informações necessárias para uma tomada de decisão consciente. Descubra o que a empresa planeja, a opinião dos outros departamentos sobre a função, o motivo pelo qual está vaga e as chances que ela oferece para o futuro de sua carreira.
2. É melhor recusar uma função que pode ser fatal para seu emprego do que aceitar um encargo que outras pessoas abandonaram ou no qual falharam. Você só poderá saber disso antes que seja tarde demais se fizer seu "dever de casa" com antecedência.
3. Pense nos cinco fatores abaixo, todos importantes para a decisão de aceitar ou não uma tarefa que parece sem perspectivas:

   - A função dá acesso à alta administração da empresa?
   - Existem oportunidades potenciais de progresso no prazo de doze a dezoito meses?
   - Você tem habilidades que lhe permitam transformar essa função em um novo impulso para sua carreira?
   - A nova situação lhe permitirá expandir consideravelmente sua rede de contatos?
   - Você tem alguma coisa a perder?

4. Considere o preço a pagar por sua decisão. Embora a função possa oferecer a oportunidade de desenvolver novas habilidades, por outro lado talvez retarde o avanço de sua carreira. Se a situação econômica da empresa não permitir muitas expectativas de promoção ou o organograma estiver inchado demais, essa transferência será positiva. Pesquise, de qualquer modo, a maneira como os homens que ocuparam o cargo antes foram tratados e peça o mesmo tratamento para você.

NOVA CONDUTA ☐

Erro 93

Dar prioridade às necessidades alheias, e não às suas

Como mulheres, com freqüência nos vemos em situações em que é preciso considerar as necessidades das pessoas que nos rodeiam antes das nossas. Sejam quais forem as circunstâncias – cuidar da mãe ou do pai inválido, adiar os estudos até que o marido conclua a faculdade ou cancelar planos para atender ao pedido de um filho –, os resultados se mostram os mesmos, ou seja, *suas* necessidades não são atendidas. Há ocasiões, sem dúvida, nas quais isso é inevitável ou não existem alternativas possíveis. Quando, porém, essa se torna a regra, e não a exceção, é melhor analisar o que *você* tem feito para permitir que a situação se perpetue.

Esse fenômeno se manifesta no ambiente de trabalho quando as verbas, as oportunidades e o espaço físico são limitados. No desejo de ser gentil e ética, a mulher costuma adiar suas necessidades e expectativas. Depois de algum tempo, acredita não haver escolha e não compreende que *ela mesma* bloqueou suas pretensões e criou o problema.

Recomendações

1. Procure estar sempre consciente de suas necessidades e de seus objetivos de carreira. Muitas vezes, as mulheres se habituam a tal ponto a negar as próprias necessidades que se esquecem de si mesmas.
2. No caminho para casa, depois do trabalho, faça uma pausa de vinte minutos e dê um presente a si mesma: leia um jornal enquanto descansa no banco de um parque, ouça uma música com calma ou use o celular para conversar com sua melhor amiga.
3. Aprenda a negociar. É importante familiarizar-se com as técnicas de negociação existentes lendo um livro ou participando de um *workshop* sobre o assunto. Você sabe, por exemplo, que as pesquisas já comprovaram que quem *pede* mais *consegue* mais? Outra tática eficiente é dividir suas necessidades em partes e solicitar o atendimento de uma parte de cada vez. A probabilidade de sucesso será bem maior se você usar esse recurso.
4. Não desista de suas pretensões por ser mais cômodo nem porque você não quer criar problemas. Há muitas formas de auto-sabotagem usadas pelas mulheres nessas ocasiões.
5. Repita para si mesma, quantas vezes for necessário, que não é egoísmo procurar atender às próprias necessidades – mesmo que isso perturbe os outros.
6. Cultive uma vida pessoal independente do trabalho para ter sempre um bom motivo para voltar para casa. A obsessão pelo trabalho é, muitas vezes, apenas uma fuga.

NOVA CONDUTA ☐

Erro 94

Negar sua força

Quando eu tinha meu consultório de psicoterapia, escolhi intencionalmente um endereço no centro de Los Angeles. Queria atender à ampla comunidade de mulheres de negócios que passavam a melhor parte da vida trabalhando em empresas daquela cidade. Minhas clientes eram cultas e bem-sucedidas. Tinham também outra coisa em comum: não conseguiam ver nem reconhecer sua força.

Quando essas mulheres me contavam como as pessoas se aproveitavam delas, como as ignoravam ou abusavam de sua boa vontade no ambiente de trabalho, eu perguntava: "Como uma mulher tão poderosa permite que a tratem dessa forma?" A resposta infalível era: "Poderosa? Eu não sou poderosa". Negavam sua força, e isso era inacreditável para mim. Por essa razão, dediquei a elas o tema do meu primeiro livro, *Women, Anger & Depression: Strategies for Self-Empowerment* [Mulheres, Raiva & Depressão: Estratégias para Aumentar o Poder Pessoal].

Ao examinar mais de perto a questão, ficou claro que as mulheres negavam sua força por causa das mensagens recebidas durante o período de crescimento. Poder era uma qualidade associada aos homens e, como tal, um termo "masculino". A percepção que as mulheres tinham da palavra se relacionava à "pessoa que estava no comando" – e com certeza não eram *elas.* A mera observação da cúpula administrativa das grandes corporações ainda comprova isso. Entre as 1 000 maiores empresas dos Estados Unidos, por exemplo, apenas onze têm mulheres no posto máximo.

Juanita é um bom exemplo de alguém que, negando a própria força, caiu em depressão e abandonou seus sonhos de carreira. Ela era advogada e trabalhava numa das mais prestigiosas firmas de advocacia de Los Angeles. Após cinco anos de trabalho dedicado, ainda parecia estar marcando passo. Colegas mais jovens e menos experientes que haviam entrado na firma depois dela recebiam causas importantes e, em algumas circunstâncias, tinham até assistência jurídica. Não é preciso dizer que tudo isso aumentou a depressão e o senso de incompetência que a atormentavam. Um círculo vicioso se formou: à medida que lutava contra o problema, diminuiu ainda mais o número de boas causas que Juanita recebia, e isso, por sua vez, agravou sua depressão.

Enquanto analisávamos as razões pelas quais os outros advogados pareciam superá-la profissionalmente, Juanita demonstrou resignação com a existência do que chamou de "panelinha" e alegou que pouco ou nada poderia fazer para mudar a situação. Em outras palavras, ela se sentia fraca, sem poder. Quando sugeri que possuía mais força do que imaginava diante das circunstâncias, ainda que fosse apenas para demitir-se e ir embora, ela negou essa possibilidade.

É muito significativo o fato de Juanita ser a única mulher entre cinco irmãos. Seu pai, um imigrante mexicano, comandava a casa segundo as tradições latinas, nas quais os meninos eram reverenciados e ela era considerada "apenas uma garota". Meu trabalho com Juanita, portanto, foi ajudá-la a descobrir e dar forma a sua marca de poder pessoal. Eu sabia que, sem essa consciência, a depressão não a deixaria e ela não teria nenhuma chance de melhorar sua situação na firma nem de encontrar emprego em outra empresa onde fosse mais respeitada.

Assim como ocorre com tantas mulheres, Juanita precisava mudar seu conceito da palavra *força*. Sabia que o pai e os irmãos eram poderosos – e ela não se parecia com eles, logo não era poderosa. Conversamos longamente sobre os vários tipos de poder existentes, e eu lhe disse que força, para as mulheres, não significa controlar os outros, e sim deter o controle da própria vida. A negação do poder pessoal corrói a autoconfiança e perpetua as profecias auto-realizáveis. Somente depois de meses de tímidas tentativas de expressar suas necessidades tanto para a família quanto para o chefe, Juanita venceu gradativamente a depressão e pôde compreender a conexão entre força e responsabilidade por sua vida.

Recomendações

1. Redefina o termo *poder*, considerando as formas pelas quais você possui mais força e autocontrole do que se permite usar. Você tem, por exemplo, a escolha de dizer "basta" quando está sendo explorada ou de dizer "não" a pedidos absurdos ou abusivos. Este livro, de certa forma, trata da reivindicação do poder.
2. Recorra a mensagens internas positivas para reestruturar seus conceitos de poder. Escreva, por exemplo, "sou tão poderosa quanto me permito" ou "apenas eu posso determinar os limites de meu poder". Depois coloque essas frases em um local que só você possa ver ou dentro da pasta que usa durante as reuniões de trabalho.
3. Quando alguém disser que você é poderosa, aceite o cumprimento com um sorriso – mesmo que não se sinta tão forte. Com o tempo, essa convicção se tornará parte de suas mensagens internas.

NOVA CONDUTA

Erro 95

Aceitar o papel de bode expiatório

Eva é gerente de recursos humanos de uma conhecida fábrica de brinquedos. No cumprimento de suas atribuições, vinha aconselhando uma funcionária com enormes dificuldades de relacionamento com o chefe, uma pessoa muito difícil. Certo dia, ela recebeu um telefonema do vice-presidente da divisão de recursos humanos, que lhe contou que o chefe da tal funcionária (também vice-presidente) queria demitir a moça. Eva sugeriu um encontro entre ela mesma, o chefe e a funcionária com o propósito de facilitar um diálogo conciliador. Para preservar o próprio poder, o vice-presidente de RH respondeu que ele mesmo arranjaria o encontro. Eva, por sua vez, compreendendo a política envolvida na situação, concordou.

Algum tempo depois, sem notícias sobre o encontro, ela telefonou para o vice-presidente de RH e deixou uma mensagem perguntando se o compromisso fora marcado. Não teve resposta. Enviou então um *e-mail.* Nada. Baseada nos comentários que ouvia, segundo os quais a situação parecia mais tranqüila, Eva pensou que o encontro, afinal, não era necessário. Recebeu logo depois um telefonema do chefe da funcionária que aconselhara. Ele a chamava imediatamente a sua sala. Quando chegou, encontrou lá o vice-presidente de RH, e o outro estava furioso com o fato de Eva não ter marcado um encontro para conversar com ele. O executivo de RH, aquele que se incumbira de marcar o famoso encontro, permanecia sentado em silêncio. Durante os quarenta minutos em que o homem esbravejou por causa da negligência *dela*, Eva não pôde dizer nada para acalmar sua raiva.

Nossa gerente de RH se viu num verdadeiro beco sem saída. Se dissesse a verdade, correria o risco de perder o apoio do próprio chefe. Se ficasse calada, seria transformada no bode expiatório do impasse. Decidiu finalmente que seria melhor aceitar o papel de bode expiatório do que correr o risco de ver dois vice-presidentes muito zangados com ela.

Recomendações

1. Usando de muita diplomacia, faça as pessoas saberem que você não gosta do papel de bode expiatório. Eva deveria ter dito a seu chefe, após aquele encontro desastroso, que ele falhara ao não lhe dar apoio. Sem censurá-lo nem culpá-lo, ela deveria dizer, por exemplo: "Estou confusa com relação ao que aconteceu, pois entendi que *você* queria marcar esse encontro. Deixei vários recados e não recebi nenhuma resposta sua". O chefe teria, então, apenas duas opções: admitir seu erro e pedir desculpas, o que não seria muito provável, uma vez que permaneceu em silêncio enquanto Eva recebia toda a bronca. A segunda opção, mais realista, seria alegar que a responsabilidade pelo acompanhamento do caso cabia a *ela.* De qualquer modo, o simples fato de haver essa conversa lhe mostraria que Eva não gostou de ser usada como bode expiatório – e ela só teria a ganhar, pois seu chefe estaria ciente disso. Devemos acreditar que a situação nunca mais se repetiria? Não, Eva apenas teria demonstrado que entendera a forma como fora usada e não estaria disposta a carregar a culpa em silêncio.
2. Há outras formas de linguagem que você pode usar se quiser evitar o papel de bode expiatório:

    - "Não vejo necessidade de acusar nem de culpar, mas quero que saiba que segui as instruções que me deu. Por que não pensamos juntos na maneira de evitar isso no futuro?"
    - "Terei prazer em refazer o relatório se ele não está como você quer, mas gostaria de deixar bem claro que foi preparado de acordo com a política da empresa relativa a informações confidenciais".
    - "Acho que novas reuniões seriam muito úteis para todos no futuro, para rever o processo. Parece que vários departamentos têm idéias diferentes sobre o produto final".

NOVA CONDUTA ☐

Erro 96

Conformar-se com fatos consumados

O escritório está sendo remodelado. Há duas salas grandes com janelas e outras três menores destinadas ao pessoal do departamento de nível igual ao seu. Quando o projeto fica pronto, você percebe que recebeu uma das salas pequenas, enquanto um colega do sexo masculino, que entrou na firma depois, ganhou uma das salas maiores com janelas. Você fala com o engenheiro sobre o problema e ele responde: "Tarde demais. O projeto já foi aprovado pela direção, e os equipamentos serão instalados na próxima semana".

Se aceitar a situação, você se conformará com um fato consumado, isto é, uma decisão predeterminada e irreversível. Essa é uma técnica usada quando as pessoas não querem mudar seus planos. Quando se trata de lidar com as mulheres, quase sempre se aposta na convicção de que elas não discutirão e aceitarão o fato consumado. Esse método também é empregado como técnica de negociação. Uma companhia de seguros, por exemplo, envia um cheque ao cliente para cobrir as despesas de um acidente de carro sem nem sequer ter falado com ele. Espera-se que o cliente aceite e deposite o cheque em sua conta bancária sem se dar ao trabalho de discutir a soma recebida.

As mulheres aceitam esse "jogo" com muito mais freqüência que os homens. Elas recebem inúmeras vezes, sem discutir, menos do que merecem – seja uma avaliação de desempenho mais baixa do que o esperado, seja um período de férias inconveniente para sua família – só porque lhes dizem "que é assim que as coisas são". Se você for como a maioria das mulheres, achará uma forma de racionalizar a "decisão irrevogável" e acabará acreditando que recebeu exatamente o que merece. Em vez disso, siga as recomendações que apresento em seguida para aprimorar suas habilidades de negociação.

Recomendações

1. Se for importante para você, não aceite sem discutir menos do que merece. Há ocasiões em que não vale a pena ganhar uma batalha e depois perder a guerra, mas existem outras em que argumentar em defesa própria é uma questão de princípios.
2. Quando apresentar uma queixa, proponha sempre uma solução. No exemplo dado neste tópico, sua resposta à frase do engenheiro poderia ser: "Então não é tarde demais. Os telefones e os computadores ainda não foram instalados. Sugiro que as salas sejam distribuídas segundo critérios mais objetivos, de hierarquia ou tempo de casa, por exemplo".
3. Use a técnica do "disco quebrado" quando quiser contestar um fato consumado. Como se você fosse um disco que recebeu um belo arranhão, repita seus argumentos, usando palavras diferentes, tantas vezes quanto for necessário até conseguir que a ouçam. Veja como funciona:

Engenheiro: Tarde demais. O projeto já foi aprovado pela direção, e os equipamentos serão instalados na próxima semana.

Você: Então não é tarde demais. Os telefones e os computadores ainda não foram instalados. Sugiro que as salas sejam distribuídas segundo critérios mais objetivos, de hierarquia ou tempo de casa, por exemplo.

Engenheiro: Já enviei todos os projetos e requisições de mudança à direção e também ao departamento de manutenção.

Você: Talvez seja um pouco inconveniente, mas eles ainda não iniciaram o trabalho. Estou certa de que é possível fazer alguns ajustes, baseados num método mais eqüitativo de distribuição do espaço.

Engenheiro: Mas eu não tenho tempo suficiente para refazer os projetos.

Você: Eu terei muito prazer em ajudá-lo a refazer os projetos se concordarmos com uma distribuição mais justa do espaço disponível.

Engenheiro: Não tenho autoridade para fazer essas mudanças.

Você: E quem tem? Eu falarei com a direção ou poderemos nos reunir todos para discutir o assunto.

A técnica do "disco quebrado" nem sempre produz os resultados desejados, mas lhe dá uma boa chance de acertar – principalmente se você a aplicar sem raiva nem julgamento.

NOVA CONDUTA ☐

Erro 97

Permitir que os erros dos outros atrapalhem você

O caso que apresento agora é uma variação das questões do bode expiatório e do desperdício de tempo e mostra a forma que uma cliente encontrou de lidar com os problemas causados por um erro de seu chefe. Maria era *expert* em eficiência empresarial interna e percorria as várias divisões da organização para a qual trabalhava na função de consultora e orientadora de processos de última geração. Antes que ela visitasse uma dessas divisões, seu chefe lhe disse que a unidade desejava apenas o esboço de um programa de treinamento. Maria fez o esboço e o apresentou ao gerente da unidade, que se mostrou desapontado com o rascunho do trabalho. Ele esperava um projeto completo com material de acompanhamento e a participação dela como facilitadora do programa de treinamento. Maria, diplomaticamente, respondeu que entendera que ele desejava apenas um esboço e comprometeu-se a verificar a questão com seu chefe.

Quando telefonou para o chefe, ele lhe disse para prosseguir e fazer tudo o que o gerente da unidade queria. Ela se viu no centro de um impasse. Sendo uma *expert* competente, já estava comprometida com visitas marcadas a outras unidades que haviam solicitado seus serviços e não dispunha do tempo necessário para preparar um projeto de tal amplitude. Quando seu chefe reiterou a importância do programa que lhe fora pedido, Maria se deu conta de que teria de trabalhar durante a noite e também nos fins de semana ao longo das semanas seguintes. A falha do chefe, que não verificou corretamente o pedido do gerente da unidade, causou a ela, portanto, um grande transtorno.

Maria era experiente e sabia da necessidade desse sacrifício, mas quis assegurar-se de que não haveria outros mal-entendidos. Embora pudesse falar diretamente com o chefe sobre o problema, preferiu agir com mais diplomacia, sem confronto. Quando ele a incumbiu de outra visita, Maria disse: "Deixe-me esclarecer bem as expectativas da nova tarefa, pois não quero me apresentar despreparada mais uma vez, como aconteceu no mês passado". Repetiu as instruções do chefe para checá-las e acrescentou: "Se eu verificar que a tarefa é mais complexa e requer mais tempo, poderei contar com seu apoio para comunicar ao gerente da unidade que será preciso refazer o cronograma do projeto?"

Perfeito! Com muito tato, Maria mostrou ao chefe que não gostara do ocorrido e não aceitaria a responsabilidade por novas falhas que ele eventualmente cometesse. Embora não pudesse controlar o que seu chefe faria no futuro, Maria tomou as medidas possíveis para evitar novos problemas que envolvessem o trabalho *dela*.

Recomendações

1. Compare os riscos e os benefícios do esforço que você tiver de fazer para corrigir as conseqüências do erro de outra pessoa. Em certas situações, como no caso de Maria, não há escolha. Mas existem ocasiões nas quais se pode argumentar. Diga, por exemplo: "Não foi isso que acertamos. Como preciso refazer o projeto, e isso requer mais tempo, não terei condições de entregá-lo no prazo estabelecido".
2. Antes de mudar seus planos para corrigir um erro de outra pessoa, tente negociar uma solução do tipo ganha-ganha. Demonstre que você deseja prestar o melhor serviço possível e que, para tanto, precisa de mais tempo e recursos. Exponha, com calma, todas as suas necessidades para realizar um trabalho bem-feito.

NOVA CONDUTA ☐

Erro 98

Ser a última a falar

Esse é, realmente, um grande problema para as mulheres. Sei disso graças à experiência adquirida durante mais de vinte anos na condução de *workshops* e programas de formação de equipes tanto para mulheres quanto para grupos mistos. Costumo, nessas ocasiões, aplicar um exercício que envolve um problema e instruções ambíguas para sua resolução. Observo, em seguida, a reação dos participantes. Depois de todo esse tempo de convívio com milhares de pessoas, posso contar nos dedos de uma só mão o número de vezes em que uma mulher foi a primeira a falar em grupos mistos.

A tendência feminina de se retrair diante da presença dos homens é um grande erro. Seja qual for o tamanho do grupo reunido, aqueles que falam primeiro e com mais freqüência parecem mais confiáveis, ousados e com maior potencial de liderança que as pessoas mais tímidas, que falam por último. A atitude de falar primeiro durante uma reunião não deve ser confundida com um comportamento agressivo e dominador. Você também não deve temer a eventual acusação de falar apenas para ouvir a própria voz, pois vou dar algumas recomendações para evitar isso. Se demorar muito para se manifestar, haverá mais riscos de alguém dizer antes de você a mesma coisa que estiver pensando – e levar o crédito pela idéia.

Recomendações

1. Procure, durante as reuniões, estar entre as duas ou três primeiras pessoas a falar. Depois disso, fale novamente a intervalos de dez ou quinze minutos.
2. Se não estiver entre as primeiras pessoas a falar, evite a qualquer custo ser a última.
3. Não há necessidade de dar sua opinião cada vez que você fala. Apoiar o argumento de outra pessoa, fazer uma pergunta pertinente ou comentar um dos assuntos em pauta são formas igualmente válidas de reforçar sua presença sem parecer monopolizadora demais.

NOVA CONDUTA ☐

Erro 99

Abrir processo contra a empresa por discriminação sexual

Atuei, durante parte de minha carreira, como especialista em paridade profissional. Minhas responsabilidades abrangiam a investigação e a resposta a vários tipos de queixa, inclusive de discriminação sexual. A causa mais comum de 90% dessas queixas não era discriminação, e sim apenas má administração. E, gostemos disso ou não, má administração não é ilegal. Apesar da existência de leis que protegem de retaliações as pessoas que abrem processo contra as empresas por discriminação sexual, eu nunca vi nenhuma dessas queixas beneficiar a carreira de ninguém. Nem sempre causam danos, mas nunca trazem benefícios.

Eu não tenho dúvidas de que a discriminação sexual faz parte efetiva da experiência profissional das mulheres. Mas, exceto em casos notórios em que a discriminação é tão evidente que não pode ser contestada, as empresas farão todos os esforços para proteger sua reputação, sua administração e seus empregados. Lembro-me nitidamente de um caso que investiguei no Texas: uma funcionária alegou que sofria discriminação de seu chefe pelo simples fato de ser mulher. Queixava-se de que ele a agredia verbalmente, humilhando-a e embaraçando-a, na presença de seus colegas. As entrevistas que fiz com quase vinte funcionários da empresa revelaram que o homem não agia daquela maneira apenas com ela, e sim com *todos*. Usando esse fato como defesa, a companhia venceu a causa. Quando tudo terminou, o causador do impasse não recebeu como punição nada além de um tapinha nas costas.

Em outro caso, uma mulher apresentou uma queixa interna devido ao fato de receber tratamento diferente do dispensado aos colegas homens com relação a promoções e tarefas importantes. Embora minhas investigações mostrassem que ela estava certa – era *mesmo* tratada de modo diferente pela única razão de ser mulher –, a empresa optou pela defesa do gerente. A moça levou a queixa às autoridades legais, mas foi demitida antes do início das investigações de praxe, e os motivos me pareceram "fabricados". Quase um ano se passou, mas as investigações deram ganho de causa à ex-funcionária, e o órgão legal expediu ordem de recontratá-la com pagamento pleno e retroativo a partir da data da demissão. A moça voltou ao trabalho, mas, como é fácil imaginar, o ambiente se tornou tão desfavorável que, pouco tempo depois, ela pediu demissão. Ela pode ter vencido essa batalha, mas perdeu a guerra.

Mesmo que você não chegue ao extremo de abrir um processo por discriminação sexual, existe um estigma que acompanha as mulheres que "fazem barulho" publicamente com relação ao problema. As pessoas reagem de forma negativa, mudam de atitude diante delas e passam a tratá-las com mais cautela. Na maior parte dos casos, ocorre o inverso do que desejavam – apenas receber um tratamento mais justo. Essas são algumas das razões pelas quais insisto em que as mulheres devem procurar todas as alternativas disponíveis para resolver suas questões de discriminação antes de processar uma empresa por causa disso.

Recomendações

1. Antes de afirmar que existe discriminação sexual, tente resolver o problema com uma atitude objetiva: identifique as manifestações da questão, e não as causas. Se você, por exemplo, acredita ter sido preterida em uma oportunidade de promoção pelo fato de ser mulher, não toque nesse ponto a princípio. Prefira perguntar a seu chefe ou ao gerente de recursos humanos por que não conseguiu a promoção e o que pode fazer para ser considerada uma candidata mais forte no futuro.
2. Não tente, sozinha, reformar o *status quo*. Você pode terminar no papel de mártir. Se houver outras mulheres que se sentem da mesma forma, junte-se a elas para formar uma força-tarefa e analisar as questões, identificar objetivamente os problemas e propor soluções.
3. Pense longa e profundamente antes de verbalizar opiniões sobre discriminação sexual com qualquer pessoa da empresa, pois esse não é um assunto tratado com leveza em lugar nenhum. Muitas organizações adotaram uma política de tolerância zero, e isso significa que qualquer sugestão de discriminação será imediata e amplamente investigada. Se você puser a "bola" em movimento, será quase impossível detê-la.
4. Se o fato de ser mulher é um obstáculo efetivo ao sucesso em seu local de trabalho, você tem apenas três opções: conformar-se (o que não recomendo, porque sua auto-estima se reduzirá ainda mais), procurar os meios internos formais para resolver o problema (o que pode ou não ter bons resultados) ou sair da empresa (e essa é a única alternativa sobre a qual você tem controle absoluto).

NOVA CONDUTA ☐

Erro 100

Tolerar o assédio sexual

Não há mulher no mundo que deva jamais tolerar nenhum tipo de assédio sexual, o que é diferente de discriminação sexual. Enquanto a *discriminação* se relaciona a decisões tomadas com base no sexo da pessoa, o *assédio* tem relação com atitudes tomadas com base na disposição ou na rejeição da mulher diante de intenções manifestas de obter favores sexuais. Outra característica do assédio: em caso de rejeição, a mulher em geral se vê obrigada a enfrentar um ambiente de trabalho intimidador, hostil e ofensivo, quando não é sumariamente demitida. O estigma que acompanha as mulheres que abrem processo por assédio sexual é ligeiramente diferente do caso anterior, de discriminação sexual, porque a maioria dos empregadores sabe que elas, nessas circunstâncias, não apelam à Justiça com freqüência nem sem ter um bom motivo para isso.

Muitos advogados trabalhistas lançam mão de uma teoria chamada de "uma mordida na maçã". Um colega convida você para um encontro. Se você diz "não, obrigada", ele já teve sua oportunidade de "morder a maçã" – e as propostas futuras poderão ser caracterizadas como assédio sexual. Uma vez que namoros entre colegas de trabalho são socialmente aceitáveis, uma "mordida na maçã" pode ter justificativa. Mas a situação muda por completo quando o "colega" é hierarquicamente superior a você. Em face das normas relativas ao namoro no ambiente de trabalho, compete a você, se não estiver interessada na outra pessoa, demonstrar sua posição com toda a clareza.

Recomendações

1. Caso você seja alvo de assédio pessoal (proposta de favores sexuais), seu primeiro e melhor recurso é comunicar à pessoa, em termos que não deixem margem a dúvidas, que esse comportamento não é bem-vindo nem será tolerado. Na hipótese de assédio ambiental (condições emocionalmente negativas de trabalho), você também deve deixar bem claro que não aceitará piadinhas, brincadeiras nem comentários. Sua recusa transforma a paquera em assédio sexual.
2. Se o assédio não cessar imediatamente, peça ajuda ao departamento de recursos humanos. Se você apenas quiser que a pessoa deixe de importuná-la, sem levar o caso adiante, o setor de RH simplesmente a chamará e lhe dará uma advertência verbal. De qualquer modo, é importante demonstrar logo que você não tolera esse tipo de comportamento. Quem permite que a situação se prolongue pode causar a impressão de ter gostado dela no início e só mais tarde ter mudado de idéia.
3. Caso o comportamento indesejável continue mesmo depois da interferência do RH ou haja retaliação de qualquer espécie, pense seriamente em apresentar uma queixa interna formal de assédio. Nesse ponto do impasse, uma investigação de suas alegações será feita. A punição varia entre advertência verbal ou por escrito, transferência ou demissão do ofensor.

NOVA CONDUTA

Erro 101

Chorar

Você *sabia* que, mais cedo ou mais tarde, eu chegaria ao assunto. Repetindo o que disse Tom Hanks num de seus filmes: "Não há lágrimas no beisebol – nem no escritório". Não é necessário ter um diploma universitário para saber que as mulheres choram quando estão felizes, quando estão tristes, quando estão frustradas, quando estão zangadas, quando o sol está brilhando – e assim por diante. Embora a maioria saiba que o escritório não é lugar para lágrimas, há momentos em que isso é inevitável. Não é preciso dar nenhum exemplo, todas nós já passamos por situações semelhantes. Vamos passar diretamente às recomendações para minimizar o problema ou aprender uma forma de recuperação rápida e profissional.

Recomendações

1. Não substitua sua raiva por lágrimas. As mulheres muitas vezes choram quando sentem raiva porque aprenderam que esse não é um sentimento aceitável nem "feminino". Quando as lágrimas estiverem para transbordar, pergunte a si mesma: "Por que estou zangada?"
2. Quando não puder evitar as lágrimas no trabalho, peça desculpas imediatamente. Não se deixe ficar em prantos, isso só constrange as pessoas. Saia da sala por alguns instantes não apenas para aliviar seus colegas (que apreciarão sua atitude) como também para dar tempo a si mesma de recobrar-se. O ideal, porém, seria substituir as lágrimas por uma resposta mais ou menos assim: "Ouvi o que você disse. Preciso de algum tempo para pensar e depois falarei com você".
3. A psicoterapeuta e orientadora executiva Susan Picascia costuma dar a suas clientes as quatro sugestões seguintes:

- Fale enquanto chora e concentre-se no problema, e não em seus sentimentos. Diga, por exemplo: "Como pode ver, isso me causa emoções fortes. Por que não nos concentramos em pontos específicos para resolver o problema?"
- Não se iluda pensando que chorar é uma reação aceitável em organizações de caráter humanístico, como hospitais e entidades sem fins lucrativos. As lágrimas dão às pessoas a impressão de falta de controle, incompetência e fraqueza. Gostamos da idéia de que há espaço para essas emoções tão humanas e tão reais entre as paredes de uma empresa. Mas isso não é verdade. As pessoas fazem associações negativas com as reações de choro no ambiente de trabalho – e isso se aplica a homens e mulheres, ultrapassa os limites do sexo. Nessa "arena", as mulheres não são mais compassivas que os homens.
- Se você chora fácil e freqüentemente, talvez seja melhor procurar a ajuda de uma amiga, orientadora ou psicoterapeuta. Choramos quando estamos sobrecarregadas, zangadas, ansiosas, magoadas ou por outras razões correspondentes à situação do momento. Talvez a causa de seu pranto excessivo seja uma predisposição ao pessimismo, ao negativismo. As circunstâncias de vida ou morte no trabalho são raras, existe solução para quase todos os problemas. Evite pensar no pior. Encare positivamente as experiências de seu dia-a-dia profissional e você chorará menos.
- Quando alguém a censurar e agredir verbalmente de forma pessoal, não se intimide e enfrente a situação. Concentre-se no teor da discussão e diga, por exemplo: "Roberto, não se trata de uma reação excessiva de minha parte, trata-se de um problema de trabalho que precisamos resolver".

NOVA CONDUTA ☐

conclusão

Plano de desenvolvimento pessoal

Um objetivo sem planejamento é um sonho e um plano sem objetivo é mera perda de tempo. Agora que você dedicou seu tempo à leitura deste livro, é hora de elaborar um planejamento que a ajude a alcançar seus objetivos. Essa talvez seja a parte mais difícil. Embora você acredite sinceramente no propósito de superar seus erros mais freqüentes, não esqueça: *compromisso* é o que faz toda a diferença.

Retorne a cada um dos capítulos do livro e examine as novas condutas que você marcou. Antes de completar o plano de desenvolvimento apresentado no Gráfico 5, procure traços comuns entre as condutas que deseja adotar e separe-as em categorias de três a cinco comportamentos que, segundo sua opinião, farão maior diferença para você. Depois prossiga e anote seu compromisso de adotar novas condutas como resultado do investimento de seu tempo e dinheiro neste livro. Você encontrará, no Gráfico 5, um exemplo que servirá de modelo para começar seu plano.

Resista à tentação de marcar muitos compromissos. Não será possível realizar um trabalho bem-sucedido se você tentar mudar muitas condutas de uma só vez. Além disso, não é o número de mudanças que importa, e sim a seleção de alguns comportamentos que farão maior diferença positiva. Tive certa vez a oportunidade de entrevistar Julie Anthony, campeã do torneio de tênis de Wimbledon, que hoje é preparadora de várias profissionais desse esporte. Quando lhe perguntei o segredo das grandes mudanças, ela respondeu o seguinte: quando nos concentramos na transformação de uma coisa, outras mudanças ocorrem naturalmente. Julie jamais diria a uma de suas jogadoras, por exemplo, para se concentrar na mudança de três tipos de lance ao mesmo tempo. Segundo ela, o aprimoramento de um desses lances levará à melhoria dos outros dois.

O mesmo raciocínio se aplica a você. Não se preocupe com a tentativa de ser mais concisa, de se desculpar menos, de ter um aperto de mão mais firme e de usar roupas adequadas simultaneamente. Concentre-se apenas em um comportamento – e faça isso direito – e descobrirá que, com o tempo, haverá mudanças sutis em muitas outras atitudes. Se você escolher entre três e cinco condutas para iniciar seu plano de desenvolvimento pessoal, poderá atingir os objetivos correspondentes em menos tempo e se sentirá mais motivada.

Não tenha medo de falhar, afinal não se trata de uma dieta. Faça um esforço consciente, mas não torne suas metas tão difíceis que, após uma semana, você já esteja pensando em abandonar o plano.

Lembre-se, finalmente, de que o crescimento pessoal é um processo que muitas vezes requer dois passos para a frente e um passo para trás. Minhas clientes sabem disso. No início, talvez chegue a pensar que nunca conseguirá, mas o tempo lhe mostrará que as mudanças que hoje lhe parecem impossíveis se tornarão quase uma segunda natureza para você – e isso se chama competência inconsciente. Conforme disse o filósofo chinês Lao-tsé: "Uma jornada de mil quilômetros começa com o primeiro passo".

GRÁFICO 5
Plano de desenvolvimento pessoal

NOVA CONDUTA	COMPROMISSO	DATA DE INÍCIO
Falar com mais concisão.	Pedir *feedback* a Roberta depois de cada reunião.	1º de outubro
	Planejar com antecedência o que vou dizer.	

Bibliografia

AILES, Roger. *You Are the Message: Getting What You Want by Being What You Are.* Currency Doubleday, 1989.

BATESON, Mary Catherine. *Composing a Life*. Plume, 1990.

BECKEL, Heather. *Be a Kickass Assistant: How to Get from a Grunt Job to a Great Career.* Warner Books, 2002.

BELENKY, Mary Field *et al. Women's Ways of Knowing*. Basic Books, 1986.

CHATZKY, Jean. *Talking Money: Everything You Need to Know about Your Finances and Your Future*. Warner Books, 2002.

CROWE, Sandra. *Since Strangling Isn't an Option: Dealing with Difficult People, Common Problems, and Uncommon Solutions*. Perigee, 1999.

FISHER, Anne B. *If My Career's on the Fast Track, Where Do I Get a Road Map?*. William Morrow & Company, 2001.

FRANKEL, Lois P. *Overcoming Your Strengths: 8 Reasons Why Successful People Derail and How to Remain on Track*. Harmony, 1997; Corporate Coaching International Publications, 2003.

_____. *Women, Anger & Depression: Strategies for Self-Empowerment*. Health Communications, 1991.

GELB, Michael. *Aprenda a Pensar com Leonardo da Vinci*. Ática, 2000.

GOLEMAN, Daniel. *Trabalhando com a Inteligência Emocional*. Objetiva, 1999.

HEIM, Pat. *Hardball for Women: Winning at the Game of Business*. Plume, 1993.

HINDLE, Tim; HELLER, Robert. *Essential Managers: Negotiating Skills*. DK Publishers, 1999.

HOLLANDS, Jean. *Same Game, Different Rules: How to Get Ahead without Being a Bully Broad, Ice Queen, or "Ms. Understood"*. McGraw-Hill, 2001.

JEFFERS, Susan. *Feel the Fear and Beyond: Mastering the Techniques for Doing it Anyway*. Random House, 1998.

_____. *Como Superar o Medo*. Cultrix, 1997.

KLAUS, Peggy. *Brag! The Art of Tooting Your Own Horn without Blowing it.* Warner Books, 2003.

KOLB, Deborah; WILLIAMS, Judith. *The Shadow Negotiation: How Women Can Master the Hidden Agendas That Determine Bargaining Success*. Little, Brown & Company, 2001.

MCGINTY, Sarah Myers. *Power Talk: Using Language to Build Authority and Influence*. Warner Books, 2001.

MILLER, Alice. *O Drama da Criança Bem Dotada*. Summus, 1986.

ORMAN, Suze. *9 Steps to Financial Freedom: Practical and Spiritual Steps so You Can Stop Worrying*. Three Rivers Press, 2000.

REARDON, Kathleen Kelley. *The Secret Handshake: Mastering the Politics of the Business Inner Circle*. Doubleday, 2002.

SCHAEF, Anne Wilson. *Women's Reality*. Harper, 1992.

SILVER, Susan. *Organized to Be Your Best: Simply and Improve How You Work*. Adams Hall Publishers, 2000.

STONE, Douglas; PATTON, Bruce; HEEN, Sheila; FISHER, Roger. *Conversas Difíceis*. Campus, 1999.

TANNEN, Deborah. *Talking from 9 to 5: How Women's and Men's Conversational Styles Affect Who Gets Heard, Who Gets Credit, and What Gets Done at Work*. Simon & Schuster, 1994.

URY, William. *Supere o Não: Negociando com Pessoas Difíceis*. Best-Seller, 2001.

WHITE, Kate. *Why Good Girls Don't Get Ahead... But Gutsy Girls Do: 9 Secrets Every Working Woman Must Know*. Warner Books, 2002.

WINSTON, Stephanie. *The Organized Executive: A Program for Productivity*. Warner Books, 2001.

***Sites* que vale a pena visitar**

http://www.petermontoya.com

A revista *Personal Brand* está disponível nesse *site*, assim como outras informações sobre as formas de criar e "vender" sua marca pessoal.

http://www.fortune.com/careers/

Esse *site* faz parte da revista *Fortune* e aborda questões relativas à carreira profissional, apresentando inclusive uma coluna *on-line* de perguntas e respostas. *Ask Annie*.

http://www.ivillage.com/work/

Usando ferramentas interativas, esse *site* apresenta idéias e artigos de interesse feminino, de dietas e divórcio a cuidados infantis e aconselhamento sobre carreiras.

http://www.advancingwomen.com/workplace.html

Esse site premiado oferece treinamento, orientação, estratégias e apoio para conferir mais poder à mulher que trabalha e guiá-la através dos pontos tradicionalmente críticos de sua carreira, ajudando-a a evoluir até o nível mais alto de suas capacidades.

http://www.advisorteam.com/user/ksintrol.asp

Esse *site* lhe permite responder e avaliar o *Keirsey Temperament Sorter II*, um questionário interessante e revelador que a ajudará a identificar o estilo de sua personalidade e, portanto, o tipo de trabalho mais adequado a você. É o mesmo teste usado nos programas de desenvolvimento de carreira implementados pelas 500 empresas selecionadas pela revista *Fortune*, assim como por centros de aconselhamento e de encaminhamento de carreira das principais universidades.

Há também dois *sites* disponíveis para contatos com a doutora Frankel:

www.corporatecoachingintl.com
www.gr8speakers.com

Veja outras publicações da Editora Gente

1. *Casais Inteligentes Enriquecem Juntos – Finanças para casais*
   Gustavo Cerbasi
2. *As Coisas Boas da Vida*
   Anderson Cavalcante
3. *Empregabilidade – Como ter trabalho e remuneração sempre*
   José Augusto Minarelli
4. *Energize-se – Alternativas para melhorar sua qualidade de vida sem radicalismos*
   Virginia Nowicki
5. *Mentes Inquietas – Entendendo melhor o mundo das pessoas distraídas, impulsivas e hiperativas*
   Ana Beatriz B. Silva
6. *Metacompetência – Uma nova visão do trabalho e da realização pessoal*
   Eugenio Mussak
7. *Metanóia – Uma história de tomada de decisão que fará você rever seus conceitos*
   Roberto Adami Tranjan
8. *Ninguém Tropeça em Montanha – Cuide dos detalhes da vida*
   Tadashi Kadomoto
9. *Organize-se – Soluções simples e fáceis para vencer o desafio diário da bagunça*
   Donna Smallin
10. *Pedagogia do Amor – A contribuição das histórias universais para a formação de valores das novas gerações*
    Gabriel Chalita
11. *Quem Ama, Educa!*
    Içami Tiba
12. *O Sucesso É Ser Feliz*
    Roberto Shinyshiki
13. *Virando Gente Grande – Como orientar os jovens em início de carreira*
    Sofia Esteves do Amaral
14. *Você É do Tamanho de seus Sonhos – estratégias para concretizar projetos pessoais, empresariais e comunitários*
    César Souza
15. *O Vôo do Cisne – A revolução dos diferentes*
    José Luiz Tejon Megido